중·고등 영어도 역시 1위 해커스다.

해커스북 중·고등

HackersBook.com

[중고등영어 1위] 한경비즈니스 선정 2020 한국품질만족도 교육(온·오프라인 중·고등영어) 부문 1위 해커스

독해력 향상을 위한 체계적 학습이 가능하니까!

글에 대한 기초 이해부터 시작하여
독해 문제로 마무리하는
단계별 독해력 훈련

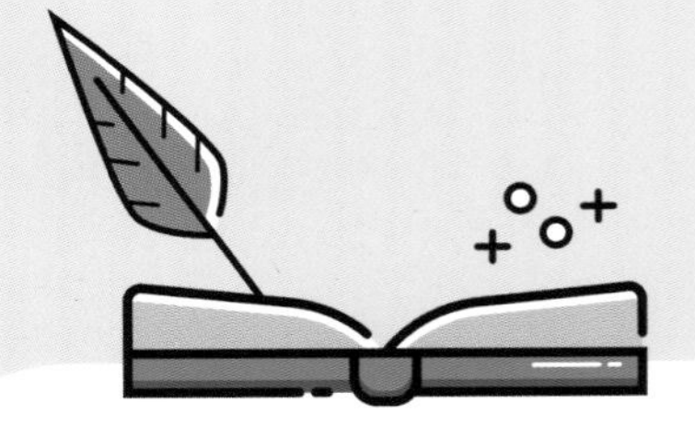

지문의 확실한 이해를 돕고
독해력을 키워주는
독해력 PLUS 문제

해커스 첫수능 영어

기초독해

유형독해

수능 영어를 쉽게 시작할 수 있으니까!

수능 영어 지문에
바로 적용할 수 있는
8가지 독해 원리 제시

수능 영어 독해를
미리 경험해 보는
고1 학평 기출 예제

해커스 첫수능 영어 독해 시리즈를 검토해주신 선생님들

경기

민관홍 엔터스카이학원
배동영 이바인어학원 탄현캠퍼스
정필두 시흥배곧 정상어학원

서울

이지연 중계케이트영어학원
조민석 더원영수학원
최윤정 잉글리쉬앤매쓰매니저학원

세종

양성욱 조치원GnB영어학원

충북

홍은영 서일영수학원

해커스 어학연구소 자문위원단 2기

강원

안서아 숲어학원 남산캠퍼스
최현주 최샘영어

경기

강민정 김진성의 열정어학원
강상훈 평촌RTS학원
강유빈 일링영어수학학원
권계미 A&T+ 영어
김남균 SDH어학원 세교캠퍼스
김보경 성일고등학교
김세희 이화킴스영어전문학원
김은영 신갈고등학교
나한샘 해법영어교실 프라임수학학원
두형호 잉글리쉬피티 어학원
박은성 GSE 어학원
박지승 신갈고등학교
배동영 이바인어학원탄현캠퍼스
서현주 웰어학원
연원기 신갈고등학교
윤혜영 이루다학원
이미연 김상희수학영어학원
이선미 정현영어학원
이슬기 연세센크레영어
이승주 EL영어학원
이주의 뉴욕학원
이충기 영어나무
이한이 엘케이영어학원
장명희 이루다영어수학전문학원
장소연 우리학원
장한상 티엔디플러스학원
전상호 평촌 이지어학원
전성훈 훈선생영어학원
정선영 코어플러스영어학원
정세창 팍스어학원
정재식 마스터제이학원
정필두 정상어학원
조원웅 클라비스영어전문학원
조은혜 이든영수학원
천은지 프링크어학원
최지영 다른영어학원
최한나 석사영수전문

경남

김선우 호이겐스학원
라승희 아이작잉글리쉬
박정주 타임영어 전문학원
이지선 PMS영재센터학원

경북

김대원 포항영신중학교
김주훈 아너스영어
문재원 포항영신고등학교
성룡 미르어학원
엄경식 포항영신고등학교
정창용 엑소더스어학원

광주

강창일 MAX(맥스) 에듀학원
김태호 금호고등학교
임희숙 설월여자고등학교
정영철 정영철 영어전문학원
조유승 링즈영어학원

대구

구수진 석샘수학&제임스영어 학원
권익재 제이슨영어교습소
김광영 e끌리네영어학원
김보곤 베스트영어
김연정 달서고등학교
김원훤 글로벌리더스어학원
위영선 위영선영어학원
이가영 어썸코칭영어학원
이승현 학문당입시학원
이정아 능인고등학교
조승희 켈리외국어학원
주현아 강고영어학원
최윤정 최강영어
황은진 상인황샘영어학원

대전

김미경 이보영의토킹클럽유성분원
성태미 한울영수학원
신주희 파써블영어학원
이재근 이재근영어수학학원
이혜숙 대동천재학원
최애림 ECC송촌제우스학원

부산

고영하 해리포터영어도서관
김미혜 더멘토영어
김서진 케이트예일학원
김소희 윤선생IGSE 센텀어학원
박경일 제니스영어
성현석 닉쌤영어교습소
신연주 도담학원
이경희 더에듀기장학원
이아린 명진학원
이종혁 대동학원
이지현 7번방의 기적 영어학원
전재석 영어를담다
채지영 리드앤톡영어도서관학원

서울

갈성은 씨앤씨(목동) 특목관
공현미 이은재어학원
김시아 시아영어교습소
김은주 열정과신념영어학원
박병배 강북세일학원
신이준 정영어학원
신진희 신진희영어
양세희 양세희수능영어학원
윤승완 윤승완영어학원
이계윤 씨앤씨(목동) 학원
이상영 와이즈(WHY's) 학원
이정욱 이은재어학원
이지연 중계케이트영어학원
정미라 미라정영어학원
정용문 맥코칭학원
정윤정 대치명인학원 마포캠퍼스
조용현 바른스터디학원
채가희 대성세그루영수학원

세종

김주년 드림하이영어학원
하원태 백년대계입시학원
홍수정 수정영어입시전문학원

울산

김한중 스마트영어전문학원
오충섭 인트로영어전문학원
윤창호 로제타스톤어학원
임예린 와엘영어학원
최주하 더 셀럽학원
최호선 마시멜로영어전문학원

인천

권효진 Genie's English
송숙진 예스영어학원
임민선 SNU에듀
정진수 원리영어
함선임 리본에듀학원
황혜림 SNU에듀

전남

김두환 해남맨체스터영수학원
류성준 타임영어학원

전북

강동현 커넥트영수전문학원
김길자 군산맨투맨학원
김유경 이엘 어학원
노빈나 노빈나영어학원
라성남 하포드어학원
박지연 박지연영어학원
변진호 쉐마영어학원
송윤경 줄리안나영어국어전문학원
이수정 씨에이엔영어학원
장윤정 혁신뉴욕어학원
장지원 링컨더글라스학원
최혜영 이든영어수학학원

제주

김랑 KLS어학원
박자은 KLS어학원

충남

문정효 좋은습관 에토스학원
박서현 EiE고려대학교 어학원 논산
박정은 탑씨크리트학원
성승민 SDH어학원 불당캠퍼스
손세윤 최상위학원 (탕정)
이지선 힐베르트학원

충북

강은구 강쌤영어학원
남장길 에이탑정철어학원
이혜인 위즈영어학원

해커스 어학연구소

해커스 첫수능 영어 **기초독해**

CONTENTS

책의 구성과 특징 04

7가지 수능 영어 지문 알아보기 06

Chapter 1 주제문 파악하며 읽기

기초 쌓기 12
주제문 파악하기

독해 원리 1 14
글의 구조와 주제문 파악하기

독해 원리 2 20
중심 소재와 주제문으로 글의 핵심 파악하기

Chapter Test 26

Chapter 2 추론하며 읽기

기초 쌓기 36
추론의 과정 이해하기

독해 원리 3 38
주제문을 단서로 추론하기

독해 원리 4 44
특정 표현을 단서로 추론하기

Chapter Test 50

Chapter 3 흐름 파악하며 읽기

기초 쌓기 60
흐름 파악하기

독해 원리 5 62
흐름에 맞게 글의 순서 배열하기

독해 원리 6 68
흐름을 통해 글의 맥락 바로잡기

Chapter Test 74

Chapter 4 비교하며 읽기

기초 쌓기 84
비교할 정보 찾기

독해 원리 7 86
도표와 문장 비교하기

독해 원리 8 92
문장과 문장 비교하기

Chapter Test 98

[책속의 책] 정답 및 해설

책의 구성과 특징

1 수능 영어에 나오는 글에 대한 이해를 돕는 기초 쌓기

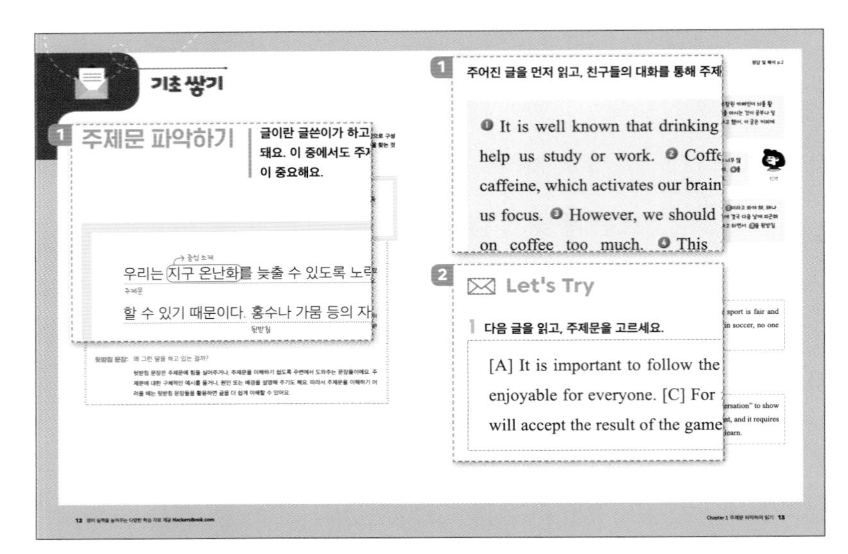

1 기초 학습
우리말 지문을 보면서 독해에 필요한 기초 지식을 학습하고, 영어 지문에 대한 친구들의 대화를 통해 기초 지식을 확인할 수 있습니다.

2 Let's Try
학습한 내용을 짧은 영어 지문에 바로 적용해 보며, 앞으로의 독해 원리 학습에 준비할 수 있습니다.

2 글을 효과적으로 읽는 방법을 안내하는 독해 원리

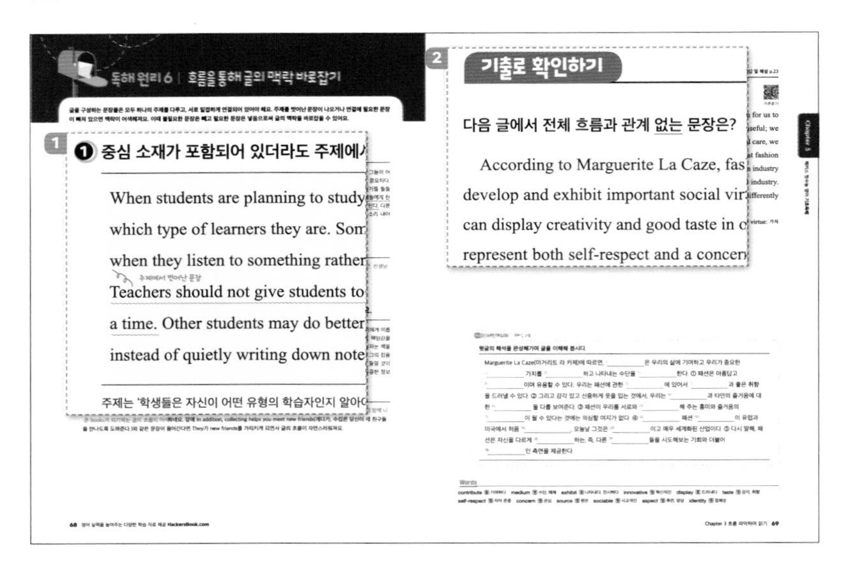

1 독해 원리 학습
수능 영어에 출제되는 글을 효과적으로 읽기 위한 독해 원리를 학습하고, 짧은 예시 지문에서 해당 원리를 적용한 독해 과정을 바로바로 확인할 수 있습니다.

2 기출로 확인하기
중학생 난이도에 맞춘 고1 학평 기출 문제를 직접 풀어보며 학습한 독해 원리를 적용해볼 수 있습니다.

3 독해 원리를 적용하며 실력을 키우는 **적용 Practice**

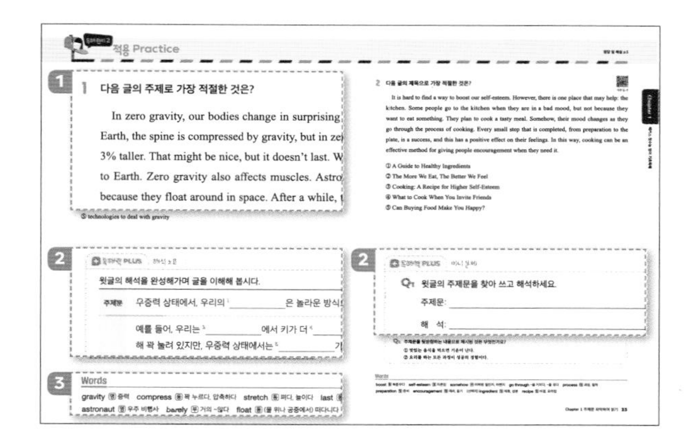

1 문제

최신 출제 경향을 반영한 문제에 앞서 학습한 독해 원리를 직접 적용해 보며 실력을 키울 수 있습니다.

2 독해력 PLUS

지문의 해석을 직접 완성하는 <해석 노트> 또는 심층적 이해를 돕는 <미니 문제>를 통해 해당 지문을 더 확실히 이해할 수 있습니다.

3 Words

따로 정리된 어휘들을 학습하며, 독해 실력의 밑거름이 되는 어휘력도 향상시킬 수 있습니다.

4 Chapter에서 학습한 독해 원리를 총점검하는 **Chapter Test**

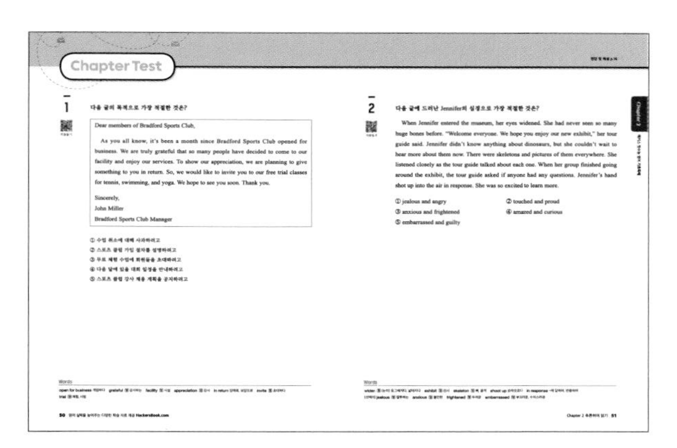

해당 Chapter에서 학습한 독해 원리들을 실전 문제에 적용해 보면서 독해 실력을 점검할 수 있습니다.

5 지문에 대한 완벽한 이해를 돕는 **정답 및 해설**

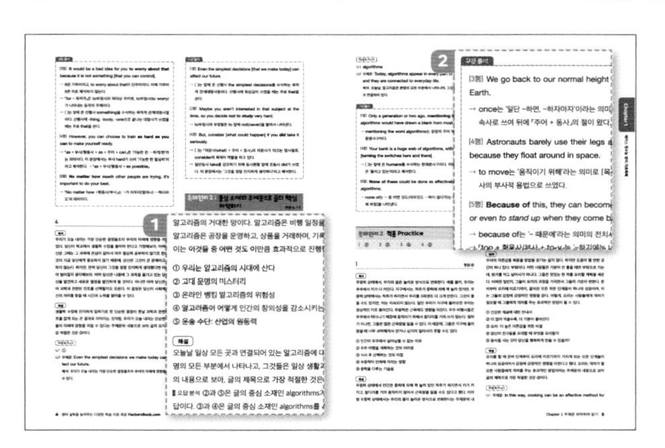

1 해석/해설/오답 분석

정확한 해석과 명료한 해설, 오답 분석을 통해 지문을 더 명확히 이해할 수 있습니다.

2 구문 풀이

상세한 구문 풀이를 통해 문장 구조를 익힘으로써 독해 실력을 한층 더 향상시킬 수 있습니다.

7가지 수능 영어 지문 알아보기

수능 영어 독해에는 7가지 종류의 지문이 나옵니다. 각 지문의 특징과 주로 묻는 문제에 따라 보다 효과적으로 읽을 수 있는 방법이 있습니다. 선생님과 친구들의 대화를 통해 알아봅시다.

1 설명문

선생님

설명문은 특정 현상이나 개념을 사실 그대로 설명하는 글이에요. 수능에 가장 많이 출제되는 글이므로 앞으로 자주 보게 될 거예요. 예시 지문을 함께 볼까요?

Touch is an important aspect of many products. Consumers like some products because of their feel. For example, some consumers buy skin creams for the soft feeling on their skin. In fact, consumers who have a high need for touch tend to like products that provide this opportunity. When considering products with material properties, such as clothing or carpeting, consumers like goods they can touch in stores more than products they only see and read about online or in catalogs. <모의응용>

촉감은 많은 제품들의 중요한 측면이다. 소비자들은 어떤 제품을 그것의 감촉 때문에 좋아한다. 예를 들어, 일부 소비자들은 피부에 닿는 부드러운 느낌 때문에 피부 크림을 구입한다. 실제로, 촉감에 대한 욕구가 많은 소비자는 이런 기회를 제공하는 제품을 좋아하는 경향이 있다. 의류나 카펫과 같은 물질적 속성이 있는 제품을 고려할 때, 소비자들은 온라인이나 카탈로그에서 보고 읽기만 하는 제품보다, 그들이 상점에서 만져볼 수 있는 제품을 더 좋아한다.

명호

촉감이 소비자들의 상품 구매에 미치는 영향을 설명하고 있어요. 피부에 바르는 크림, 의류나 카펫과 같은 예시를 읽고 더 쉽게 이해할 수 있었어요.

선생님

맞아요, 설명문은 주로 설명하려는 내용이 담긴 주제문과 그것을 뒷받침하는 예시들로 글이 구성돼요. 글의 주제나 흐름을 묻는 문제가 나오므로 큰 숲을 보듯이 글 전체에서 다루는 핵심 내용을 파악하며 읽는 것이 좋아요.

2 논설문

선생님

논설문은 글쓴이의 생각이나 의견을 밝히는 글이에요.
다음 지문에서 글쓴이는 무엇을 하라고 말하고 있나요?

Keeping good ideas floating around in your head is a great way to ensure that they won't happen. The only good ideas are the ones that get written down. Take out a piece of paper and record everything you'd love to do someday — aim to hit one hundred dreams. When you put your dreams into words, you begin putting them into action. <모의응용>

좋은 생각을 머릿속에 떠돌게 하는 것은 그것이 일어나지 않게 하는 확실한 방법이다. 유일한 좋은 생각은 적어둔 생각들이다. 종이 한 장을 꺼내 언젠가 하고 싶은 모든 것을 기록하라 — 100개의 꿈을 이루는 것을 목표로 해라. 꿈을 글로 적을 때 여러분은 그것을 실천하기 시작하는 것이다.

진우

꿈을 글로 적으면 실천하게 될 것이라고 주장하고 있어요.
설명문보다 글쓴이의 의견이 강하게 드러나는 것 같아요.

특히 명령문 구조를 사용해서 우리를 설득하고 있어요.
논설문은 주로 글쓴이의 주장이나 글의 요지를 묻는 문제와 함께 나오기 때문에, 진우가 파악한 것처럼 글쓴이가 주장하는 내용이 무엇인지를 찾으며 읽는 것이 효과적이에요.

선생님

3 편지글

선생님

편지는 비교적 익숙한 글이죠? 상대방에게 하고자 하는 말이 있을 때 쓰는 글이에요.
아래 글은 무슨 말을 전하기 위해 쓴 편지인지 함께 볼까요?

Dear Mr. Dennis Brown,

We at G&D Restaurant are delighted to invite you to our annual Fall Dinner. The annual event will be held on October 1st at our restaurant. At the event, we will be introducing new dishes. Also, our chefs will be providing cooking tips and ideas on what to buy for your kitchen. We look forward to seeing you. Thank you.

Regards,
Marcus Lee, Owner - G&D Restaurant <모의응용>

Dennis Brown 씨께,

저희 G&D 식당에서 저희의 연례 Fall Dinner에 당신을 초대하게 되어 기쁩니다. 이 연례행사는 10월 1일에 저희 식당에서 열릴 것입니다. 그 행사에서, 저희는 새로운 요리들을 소개할 것입니다. 또한, 저희 요리사들은 요리 비법들과 당신의 주방을 위해 무엇을 사야 할지에 대한 아이디어를 제공해드릴 것입니다. 우리는 당신을 뵙기를 기대합니다. 감사합니다.

존경을 담아,
G&D 식당 주인, Marcus Lee 드림

식당의 행사에 Dennis Brown 씨를 초대하려고 편지를 썼어요.

민정

선생님

잘 이해했네요. 이와 같은 편지글에는 편지를 쓴 목적이 무엇인지 묻는 문제가 나오기 때문에 글쓴이가 글을 쓴 의도를 찾으며 읽으면 돼요.

4 이야기글

선생님

이번에는 소설이나 일기의 일부분 같은 이야기글을 함께 볼 거예요.
주인공이 어떤 감정을 느꼈을지 생각하며 읽어볼까요?

One day, I was enjoying some time off. I went to the nail salon to get a manicure. I turned off my cell phone so I could relax. I felt so calm and comfortable. But when I left, I had four missed calls from an unfamiliar number. I knew something bad had happened, and I called back. A nurse at the hospital picked up. She said that my father had fallen down and injured his knee. I was extremely worried for him, so I rushed to the hospital. <모의응용>

어느 날, 나는 휴가를 즐기고 있었다. 나는 손톱 손질을 받기 위해 네일 샵에 갔다. 내가 휴식을 취할 수 있도록 나는 나의 휴대폰을 껐다. 나는 아주 진정됐고 편안했다. 그러나 내가 떠났을 때, 나는 낯선 번호로부터 걸려 온 네 통의 부재중 전화가 있었다. 나는 뭔가 나쁜 일이 생겼다는 것을 알았고, 다시 전화했다. 병원의 한 간호사가 전화를 받았다. 그녀는 나의 아버지가 넘어져서 그의 무릎을 다쳤다고 말했다. 나는 극도로 그가 걱정이 되었고, 그래서 병원으로 서둘렀다.

민정

휴가를 편안하게 즐기다가 아버지가 다쳤다는 소식을 듣고
걱정이 되어 병원으로 서둘러 갔다는 것을 이야기하고 있어요.

맞아요, 이야기글이 나오면 이렇게 주인공의 감정과 글의 분위기를
파악하거나 사건의 흐름을 확인해 가며 읽을 거예요.

선생님

5 일대기

선생님

일대기는 실존 인물의 생애에 대한 정보를 시간 순으로 쓴 글이에요.
아래 지문은 Margaret Knight(마가렛 나이트)라는 인물을 소개하고 있는데, 함께 읽어볼까요?

Margaret Knight was a talented 19th century inventor; some journalists called her "a woman Edison." Knight left school in 1850, at age 12, to earn money for her family at a textile factory. There, she witnessed a fellow worker injured by faulty equipment. That led her to create her first invention, a safety device for textile equipment. In 1871, she got her first patent for a machine that put together paper bags. Knight received 27 patents in her lifetime. <모의응용>

마가렛 나이트는 19세기의 재능 있는 발명가였다; 몇몇 기자들은 그녀를 '여자 에디슨'이라 불렀다. 나이트는 직물 공장에서 그녀의 가족들을 위해 돈을 벌기 위해 1850년, 12세의 나이에 학교를 그만두었다. 그곳에서, 그녀는 동료 노동자가 결함이 있는 장비에 의해 부상을 당하는 것을 목격했다. 그것은 그녀가 그녀의 첫 발명품, 즉 직물 장비에 쓰이는 안전장치를 만들도록 이끌었다. 1871년에 그녀는 종이 가방을 만드는 기계로 첫 특허를 받았다. 나이트는 그녀의 일생 동안 27개의 특허를 받았다.

진우

마가렛 나이트는 발명가였네요. 그녀가 겪은 일과 세운 업적을
시간 순으로 설명하고 있어요.

이러한 일대기 형식으로 쓰인 글은 숲보다는 나무를 보며 정
보 하나하나를 선택지와 비교하며 읽는 것이 효과적이에요.

선생님

6 안내문

선생님

안내문은 긴 글이 아니고 세부 정보가 한눈에 보이기 때문에 읽기 어렵지 않을 거예요.
아래의 안내문은 어떤 행사를 알리고 있는지 읽어볼까요?

E-Waste Recycling Day

Bring your used electronics to recycle. Go green!

When: Saturday, December 17, 2022
8:00 a.m. - 11:00 a.m.

Where: Lincoln Sports Center

Notes
· Items NOT accepted: light bulbs, batteries
· All personal data in the devices must be removed in advance.

Please contact us at 986-571-0204 for more information.

<모의응용>

전자 폐기물 재활용의 날

재활용할 중고 전자 제품을 가져오세요. 환경을 보호하세요!

언제: 2022년 12월 17일 토요일
오전 8시부터 오전 11시까지

어디서: Lincoln 스포츠 센터

주의 사항
· 허용되지 않는 품목들: 전구, 건전지
· 기기 속 모든 개인 정보는 미리 삭제되어야 합니다.

더 많은 정보를 원하시면 986-571-0204로 저희에게 연락주세요.

명호

전자 폐기물 재활용의 날이 언제 어디서 열릴 것인지 알려주고 있어요.

선생님

마치 행사 포스터와 같죠? 방금 명호 눈에 띄었던 언제, 어디서 등의 주요 정보를 선택지와 비교하며 읽으면 쉬울 거예요.

7 도표

선생님

도표 형태로 나오는 글은 어떠한 주제에 대한 통계나 설문조사 결과를 보여 줘요.
아래 도표에서 눈에 띄는 수치가 무엇인지 살펴볼까요?

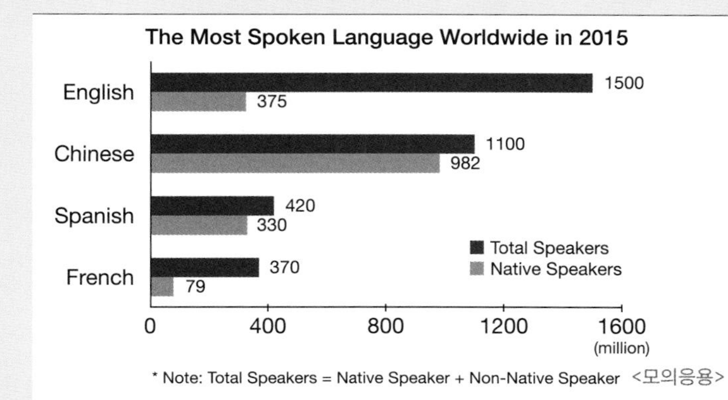

* Note: Total Speakers = Native Speaker + Non-Native Speaker <모의응용>

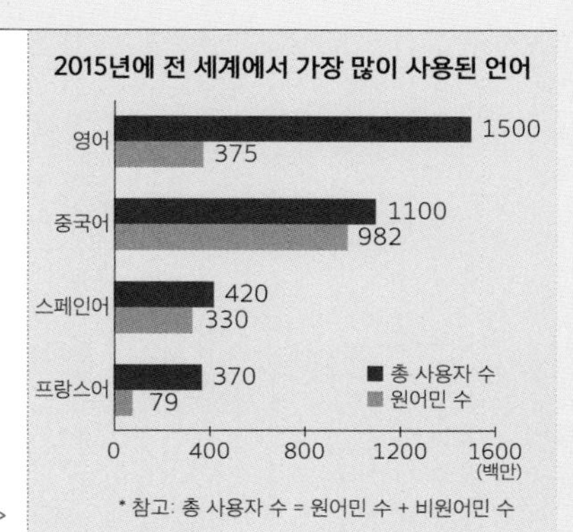

* 참고: 총 사용자 수 = 원어민 수 + 비원어민 수

민정

네 가지 언어에 대해 총 사용자 수와 원어민 수를 각각 보여 주고 있어요.
영어의 총 사용자 수가 가장 많고, 중국어는 원어민 수가 가장 많은 것이 눈에 띄어요.

선생님

잘 파악했어요. 도표가 나오면 각 선택지가 도표의 항목과 수치에 대해 정확히 설명하고 있는지 비교하며 읽을 거예요.

Chapter 1

주제문 파악하며 읽기

기초 쌓기 | 주제문 파악하기
독해 원리 1 | 글의 구조와 주제문 파악하기
독해 원리 2 | 중심 소재와 주제문으로 글의 핵심 파악하기
Chapter Test

기초 쌓기

주제문 파악하기

글이란 글쓴이가 하고 싶은 말을 글자로 표현한 것이에요. 글은 대체로 중심 소재, 주제문, 뒷받침 문장으로 구성돼요. 이 중에서도 주제문에 글쓴이가 하고 싶은 말의 핵심이 담겨 있으므로 글을 제대로 이해하기 위해서는 주제문을 찾는 것이 중요해요.

(중심 소재)

우리는 지구 온난화를 늦출 수 있도록 노력해야 한다.(주제문) 지구 온난화가 가속화되면 다양한 동식물들이 멸종할 수 있기 때문이다.(뒷받침) 홍수나 가뭄 등의 자연재해가 발생하여 인간의 생활에도 큰 피해를 줄 수 있다.(뒷받침)

중심 소재: 글쓴이는 무엇에 대해 글을 썼을까?

중심 소재는 이 글이 무엇에 관한 글인지를 나타내는 말이에요. 주로 글의 처음 한두 문장에서 파악할 수 있고, 글 전체에 걸쳐 반복적으로 나오기도 해요. 중심 소재를 파악하면 글의 내용을 따라가기가 훨씬 쉬워요.

주제문: 중심 소재에 대해 무슨 말이 하고 싶었던 걸까?

주제문은 글에서 가장 중요한 요소입니다. 주제문에는 중심 소재와 그것에 대한 글쓴이의 생각이나 주장이 담겨 있어서, 혼자서 글 전체를 대표할 수 있기 때문이에요. 마치 뉴스 헤드라인만 보고도 기사의 내용이 무엇일지 알 수 있는 것과 비슷해요.

뒷받침 문장: 왜 그런 말을 하고 있는 걸까?

뒷받침 문장은 주제문에 힘을 실어주거나, 주제문을 이해하기 쉽도록 주변에서 도와주는 문장들이에요. 주제문에 대한 구체적인 예시를 들거나, 원인 또는 배경을 설명해 주기도 해요. 따라서 주제문을 이해하기 어려울 때는 뒷받침 문장을 통해 글을 더 쉽게 이해할 수 있어요.

주어진 글을 먼저 읽고, 친구들의 대화를 통해 주제문을 어떻게 파악하는지 살펴볼까요?

❶ It is well known that drinking coffee can help us study or work. ❷ Coffee contains caffeine, which activates our brains and helps us focus. ❸ However, we should not depend on coffee too much. ❹ This is because drinking a lot of coffee during the day makes sleeping difficult at night. ❺ As a result, we are tired the next day and easily lose focus while studying or working.

진우

❶과 ❷에서 커피에 포함된 카페인이 뇌를 활성화시키기 때문에 커피를 마시는 것이 공부나 일을 하는 것을 도울 수 있다고 했어. 이 글은 커피에 관한 글이야.

민정

그런데 ❸의 However 뒤에서는 커피에 너무 많이 의존하면 안 된다는 반대의 의견이 나와. ❹를 보니 밤에 잠을 자기 힘들어지기 때문이래.

명호

그러면 이 글의 주제문은 ❸이라고 봐야 해. 왜냐하면 ❺ 역시 커피 때문에 결국 다음 날에 피곤해서 집중을 잘 못하게 된다고 하면서 ❸을 뒷받침해 주고 있기 때문이야.

Let's Try

1 다음 글을 읽고, 주제문을 고르세요.

[A] It is important to follow the rules when playing sports. [B] It ensures the sport is fair and enjoyable for everyone. [C] For instance, if you score a goal with your hands in soccer, no one will accept the result of the game.

① [A] ② [B] ③ [C]

2 다음 글을 읽고, 주제문을 고르세요.

[A] Wynton Marsalis, a renowned jazz player, said "Jazz has no script, it's conversation" to show the difficulty of jazz. [B] This is because jazz depends much on the player's talent, and it requires a lot of practice. [C] Clearly, jazz is one of the most difficult musical genres to learn.

① [A] ② [B] ③ [C]

독해 원리 1 | 글의 구조와 주제문 파악하기

주제문은 글의 처음, 중간, 마지막 어디든 올 수 있어요. 따라서 글의 구조는 주제문이 어디 있는지 짐작할 수 있는 단서가 돼요. 구조를 이해하면서 글을 읽어 내려가다 보면 주제문을 찾아 글쓴이의 생각을 쉽게 파악할 수 있어요.

❶ 주장이나 의견이 드러나는 문장 뒤에 뒷받침 문장들이 이어지면 주제문이 처음에 있는 구조예요.

Parents should teach their kids table manners early in life. (주제문) If children learn good manners from the start, it is easier to make them a habit. (뒷받침) Moreover, their behavior could be a good model for other kids. (뒷받침)	부모들은 아이들에게 어릴 때부터 식사 예절을 가르쳐야 한다. 아이들이 처음부터 좋은 예절을 배운다면, 그것을 습관으로 만들기 더 쉽다. 게다가, 그들의 행동은 다른 아이들에게 좋은 본보기가 될 수 있다.

뒷받침 문장들은 첫 문장에 제시된 글쓴이의 주장에 힘을 실어주고 있어요. 따라서 첫 문장이 주제문이고 부모는 아이들이 어릴 때부터 식사 예절을 가르쳐야 한다는 것이 글쓴이의 생각이에요.

❷ 도입부의 내용을 반전시키며 글쓴이의 생각을 강조할 때는 주제문이 중간에 나와요.

Many people believe pandas are cute and gentle animals. (도입) However, pandas are actually quite dangerous to humans. (주제문) They have sharp teeth and claws, and they will attack anyone who enters their territory. (뒷받침)	많은 사람들은 판다가 귀엽고 온순한 동물이라고 생각한다. 하지만, 판다는 사실 인간에게 꽤 위험하다. 그들에게는 날카로운 이빨과 발톱이 있으며, 그들은 자신들의 영역에 들어오는 누구라도 공격할 것이다.

중간에 However가 쓰인 것을 보니 글쓴이는 도입부의 내용과 반대되는 생각을 가지고 있었네요. 즉, 판다가 실제로는 인간에게 꽤 위험하다는 것을 강조하고 있어요. 따라서 글쓴이의 생각은 판다는 보기와 달리 위험한 동물이다예요.

❸ 주제문이 글 전체 내용을 정리할 때는 마지막에 나와요.

There are a number of ways to deal with stress, and we all do it differently. (도입) A strategy that works for other people may not work for you. (뒷받침) So if you want to reduce stress, it is necessary to find your own way to do it. (주제문)	스트레스에 대처하는 방법은 많고, 우리는 모두 그것(스트레스에 대처하는 것)을 다르게 한다. 다른 사람들에게 도움이 되는 방법이 당신에게는 도움이 되지 않을 수 있다. 따라서 당신이 스트레스를 줄이고 싶다면, 당신은 그것을 할 당신만의 방법을 찾는 것이 필요하다.

글쓴이는 자신의 생각을 뒷받침하는 이유들을 먼저 설명하고 마지막에 주제문을 제시함으로써 이를 정리하고 싶었나 봐요. 따라서 스트레스를 풀 자신만의 방법을 찾아야 한다는 것이 글쓴이의 생각이에요.

기출로 확인하기

정답 및 해설 p.2

다음 글의 요지로 가장 적절한 것은? <모의응용>

지문듣기

Study the lives of the great people who have made an impact on the world, and you will find that in virtually every case, they spent a considerable amount of time alone thinking. For example, great artists spend countless hours in their studios or with their instruments not just doing, but exploring their ideas and experiences. Time alone allows people to sort through their experiences and plan for the future. I strongly encourage you to find a place to think and to teach yourself to pause and use it because it has the potential to change your life.

① 예술적 감수성을 키우기 위해 다양한 활동이 필요하다.
② 공동의 문제를 해결하기 위해 협동심을 발휘해야 한다.
③ 자신의 성장을 위해 혼자 생각할 시간을 가질 필요가 있다.
④ 합리적 정책을 수립하기 위해 비판적 의견을 수용해야 한다.
⑤ 성공적인 지도자가 되기 위해 규율을 엄격하게 적용해야 한다.

독해력 PLUS 미니 문제

Q1 윗글의 구조로 적절한 것을 고르세요.
① 도입 - 뒷받침 - 주제문
② 도입 - 주제문 - 뒷받침

Q2 주제문을 뒷받침하는 내용으로 제시된 것은 무엇인가요?
① 성공적인 지도자들의 사례
② 위대한 예술가들의 사례

Words

impact 명 영향 virtually 부 사실상 considerable 형 상당한, 엄청난 countless 형 셀 수 없이 많은 instrument 명 도구 explore 동 탐구하다, 탐험하다 sort through 자세히 살피다 encourage 동 권장하다 pause 동 잠시 멈추다 potential 명 잠재력

적용 Practice

1 다음 글에서 필자가 주장하는 바로 가장 적절한 것은?

Imagine a five-year-old girl who starts eating vegetables every day. She will not like eating them at first. But, with time, healthy foods will become normal for her, which is valuable in the long run. Specifically, she will become used to a healthy diet, so she will not eat lots of junk food once she is an adult. This will help her avoid the health problems that result from a poor diet. In addition, eating healthy foods will give her more energy for school, work, and social activities throughout her life. Developing good eating habits early in life, therefore, is necessary for everyone.

① 어릴 때부터 건강한 식습관을 길러야 한다.
② 건강에 해로운 음식의 광고를 제한해야 한다.
③ 날 것으로 먹는 음식일수록 보관에 유의해야 한다.
④ 자신의 체질에 맞는 음식이 무엇인지 알아야 한다.
⑤ 부모는 아이의 해로운 습관을 방치하지 말아야 한다.

독해력 PLUS 미니 문제

Q1 윗글의 주제문을 찾아 쓰고 해석하세요.

주제문: ______________________

해 석: ______________________

Q2 주제문을 뒷받침하는 내용으로 제시된 것은 무엇인가요?

① 건강 문제를 예방할 수 있다.
② 성인이 되면 새로운 습관을 들이기 힘들다.

Words

normal 형 일상의, 표준적인 valuable 형 유익한, 귀중한 result from ~이 원인이다 poor 형 좋지 못한, 나쁜 social 형 사회적인, 사회의 throughout 전 ~동안, ~내내 habit 명 습관 necessary 형 필요한, 필수의

2 다음 글의 요지로 가장 적절한 것은?

지문듣기

Many of us have imagined walking down from the stage to a thunder of applause after giving a terrific speech. But the reality is that we all get stressed trying to memorize a script and many of us even panic when we stand in front of a crowd. This will keep happening unless you give up on perfection. In fact, I recommend that you focus on improvement rather than perfection when giving a speech. It is impossible to give a flawless speech, and trying to do this puts enormous pressure on you every time you prepare. After all, what you need is a speech that is a bit better than what you did before.

* flawless: 결점 없는

① 연설을 할 때는 대본을 외우지 않는 것이 좋다.
② 의미가 명확한 단어는 표현의 설득력을 높인다.
③ 완벽한 연설보다는 더 나은 연설을 추구해야 한다.
④ 적절한 수준의 부담은 업무에 긍정적인 영향을 준다.
⑤ 청자들에 대한 정보는 연설 준비에 많은 도움이 된다.

독해력 PLUS 해석 노트

윗글의 해석을 완성해가며 글을 이해해 봅시다.

도입	우리들 중 다수는 [1]__________ 연설을 한 후에 우레와 같은 박수 속에서 [2]__________에서 걸어 내려오는 것을 [3]__________해 본 적 있다. 하지만 [4]__________은 우리 모두 [5]__________을 외우려 애쓰면서 [6]__________를 받고, 우리들 중 다수는 심지어 [7]__________ 앞에 설 때 공황 상태에 빠지기도 한다는 것이다. 이것은 당신이 [8]__________을 포기하지 않는 한 계속 일어날 것이다.
주제문	사실, 나는 당신이 [9]__________을 할 때 [10]__________보다는 [11]__________에 초점을 둘 것을 권한다.
뒷받침	[12]__________ 연설을 한다는 것은 [13]__________할뿐더러, 이것을 하려고 애쓰는 것은 당신이 [14]__________ 때마다 엄청난 [15]__________을 당신에게 준다. 어쨌든, 당신에게 [16]__________은 당신이 전에 했던 것보다 조금 더 [17]__________ 연설이다.

Words

thunder 명 우레, 천둥 applause 명 박수 terrific 형 훌륭한 speech 명 연설, 발표 memorize 동 외우다 script 명 대본 panic 동 공황 상태에 빠지다 unless 접 ~하지 않는 한 give up on ~을 포기하다, 단념하다 recommend 동 권하다, 권장하다 enormous 형 엄청난 pressure 명 부담, 압력

3 다음 글에서 필자가 주장하는 바로 가장 적절한 것은?

You can never control how hard other people work. For example, if you were training for a tennis tournament, you wouldn't know how much other players were practicing. Some of them could be working hard, while others might be lazy. It would be a bad idea for you to worry about that because it is not something that you can control. However, you can choose to train as hard as you can to make yourself ready. Push yourself, and you will have the best chance of succeeding. No matter how much other people are trying, it's important to do your best.

① 한 분야의 정점에 도달하려면 꾸준히 연습해야 한다.
② 자존감을 유지하려면 남과의 비교를 자제해야 한다.
③ 때로는 과감히 포기할 줄 아는 용기를 가져야 한다.
④ 피곤할 때는 지나치게 격한 운동을 삼가야 한다.
⑤ 남이 아닌 내 자신에 맞춰 최선을 다해야 한다.

독해력 PLUS 해석 노트

윗글의 해석을 완성해가며 글을 이해해 봅시다.

도입	당신은 다른 사람들이 [1]________ 노력하는지를 결코 [2]________할 수 없다. 예를 들어, 당신이 테니스 [3]________를 위해 연습하고 있다면, 당신은 다른 [4]________들이 얼마나 [5]________하고 있는지 모를 것이다. 그들 중 몇몇은 열심히 할 수도 있는 [6]________, 다른 이들은 [7]________ 모른다.
뒷받침	당신이 그것에 대해 [8]________하는 것은 좋지 않은 생각일 것인데, [9]________ 그것은 당신이 통제할 수 있는 것이 아니기 때문이다.
주제문	하지만, 당신은 당신 [10]________를 [11]________시키기 위해 [12]________ 훈련하는 것을 [13]________ 수 있다. 스스로를 [14]________, 그러면 당신은 [15]________할 수 있는 최고의 [16]________를 가질 것이다. 남들이 얼마나 많이 [17]________하든지, 당신의 [18]________이 중요하다.

Words

control 동 통제하다, 제어하다 work 동 노력하다, 일하다 tournament 명 대회 lazy 형 빈둥거리는, 게으른 push 동 밀어붙이다, 밀고 나가다 succeed 동 성공하다 do one's best 최선을 다하다

정답 및 해설 p.2

4 다음 글의 요지로 가장 적절한 것은?

지문듣기

Even the simplest decisions that we make today can affect our future. Let's say that you have to take a biology class in school. Maybe you aren't interested in that subject at the time, so you decide not to study very hard. You don't believe it's a big deal because it's not important to you now. But, consider what could happen if you did take it seriously. Perhaps you would later find yourself enjoying the subject and discover a new passion. Or maybe you would even choose a career related to science. This decision could save time and effort as you look for your place in society.

① 과목별 성적이 진로 결정에 도움이 된다.
② 잘하는 과목에 집중하는 것이 더 효율적이다.
③ 사소해 보이는 결정이 큰 결과를 가져올 수도 있다.
④ 중요한 사항일수록 신중하게 결정하는 것이 좋다.
⑤ 작은 실수가 과학적 발견으로 이어진다.

독해력 PLUS 미니 문제

Q1 윗글의 구조로 적절한 것을 고르세요.
① 주제문 - 뒷받침
② 도입 - 뒷받침 - 주제문

Q2 윗글의 주제문을 찾아 쓰고 해석하세요.
주제문: ______________________________
해 석: ______________________________

Words

biology 명 생물학 be interested in ~에 관심이 있다 subject 명 과목, 주제 big deal 큰 문제, 별일 seriously 부 진지하게 perhaps 부 아마, 어쩌면 passion 명 열정 career 명 진로, 경력

독해 원리 2 | 중심 소재와 주제문으로 글의 핵심 파악하기

글에서 여러 번 언급되는 중심 소재와, 주제문을 통해 파악한 글쓴이의 생각을 종합하면 글의 핵심 내용을 파악할 수 있어요. 이러한 핵심 내용을 짧게 한 마디로 표현한 것을 글의 주제 또는 제목이라고 해요.

❶ 중심 소재는 처음 한두 문장에서 파악할 수 있고 글에서 반복되어 나와요.

Many people believe that a desert(중심 소재) is typically very hot.(도입) However, a place is defined as a desert(중심 소재) by its rainfall, not by its temperature.(주제문) For example, Antarctica is classified as a desert(중심 소재) although it is very cold because it rarely rains there.(뒷받침)	많은 사람들이 사막은 대개 굉장히 덥다고 생각한다. 하지만, 하나의 지역은 그곳의 기온이 아니라 그곳의 강수에 의해서 사막이라고 정의된다. 예를 들어, 남극은 매우 추운데도 불구하고 사막으로 분류되는데, 왜냐하면 그곳에는 비가 거의 오지 않기 때문이다.

desert(사막)가 반복되어 나오므로 이 글의 중심 소재임을 파악할 수 있어요. 중심 소재와 주제문을 토대로 글의 제목을 표현해 보면 Lack of Moisture: A Key Factor of Deserts(습기 부족: 사막의 주요 요인)로 나타낼 수 있어요.

❷ 주제문에는 중심 소재에 대해 글쓴이가 강조하고 싶은 생각이 담겨 있어요.

It is necessary to eat a variety of nutritious foods(중심 소재) to be healthy.(주제문) No one food can provide you with all the nutrients you need.(뒷받침) In fact, not eating the right combination of foods(중심 소재) can lead to a wide variety of illnesses.(뒷받침) Therefore, a varied diet(중심 소재) is vital for your body to function correctly.(주제문)	건강하기 위해 영양가 있는 다양한 음식을 먹는 것이 필요하다. 어느 하나의 음식도 당신에게 필요한 모든 영양소를 제공해줄 수 없다. 사실, 올바른 조합의 음식을 먹지 않는 것은 매우 다양한 질병으로 이어질 수 있다. 그러므로, 다양한 식단은 여러분의 몸이 올바르게 기능하기 위해 필수적이다.

주제문을 통해 중심 소재인 '다양한 식단'의 중요성을 강조하고 있어요. 따라서 글의 주제는 importance of having a balanced diet(균형 잡힌 식사를 하는 것의 중요성)로 나타낼 수 있어요. 주제문에 쓰인 necessary와 vital을 importance로, 중심 소재인 a variety of nutritious foods, the right combination of foods, a varied diet를 balanced diet로 바꾸어 표현했어요.

TIP 글쓴이의 생각을 강조하기 위해 자주 쓰이는 표현

important 중요한	necessary 필요한	essential 필수적인	significant 중요한	so 그래서
make sure that ~하도록 하다	must/have to/should ~해야 한다	need 필요하다	therefore/thus 그러므로	

정답 및 해설 p.4

다음 글의 제목으로 가장 적절한 것은? <모의응용>

지문듣기

Only a generation or two ago, mentioning the word *algorithms* would have drawn a blank from most people. Today, algorithms appear in every part of civilization, and they are connected to everyday life. They're not just in your cell phone or your laptop but in your car, your house, your appliances, and your toys. Your bank is a huge web of algorithms, with humans turning the switches here and there. Algorithms schedule flights and then fly the airplanes. Algorithms run factories, trade goods, and keep records. None of these could be done as effectively without algorithms.

① We Live in an Age of Algorithms
② Mysteries of Ancient Civilizations
③ Dangers of Online Banking Algorithms
④ How Algorithms Decrease Human Creativity
⑤ Transportation: A Driving Force of Industry

독해력 PLUS 미니 문제

Q1 윗글의 중심 소재를 찾아 한 단어로 쓰세요.

____

Q2 윗글의 주제문을 찾아 쓰고 해석하세요.

주제문: ____________________

해 석: ____________________

Words

generation 명 세대 mention 동 언급하다 draw a blank 아무 반응을 얻지 못하다 civilization 명 문명 appliance 명 가전제품 web 명 망 switch 명 스위치 run 동 운영하다 trade 동 거래하다 effectively 부 효과적으로 [선택지] transportation 명 운송 수단

적용 Practice

1 다음 글의 주제로 가장 적절한 것은?

In zero gravity, our bodies change in surprising ways. For instance, we get taller in space. On Earth, the spine is compressed by gravity, but in zero gravity, the spine stretches out and makes us 3% taller. That might be nice, but it doesn't last. We go back to our normal height once we return to Earth. Zero gravity also affects muscles. Astronauts barely use their legs and arms to move because they float around in space. After a while, they can lose a lot of muscle mass. Because of this, they can become too weak to walk or even to stand up when they come back to Earth.

* spine: 척추

① why human can't survive in space
② difficulties of planning space travel
③ benefits of taking a walk after a meal
④ effects of zero gravity on the body
⑤ technologies to deal with gravity

독해력 PLUS 해석 노트

윗글의 해석을 완성해가며 글을 이해해 봅시다.

주제문	무중력 상태에서, 우리의 [1] ___________은 놀라운 방식으로 [2] ___________.
뒷받침	예를 들어, 우리는 [3] ___________에서 키가 더 [4] ___________. 지구에서는, 척추가 [5] ___________에 의해 꽉 눌려 있지만, 무중력 상태에서는 [6] ___________가 펴지면서 우리를 3퍼센트 [7] ___________. 그것이 좋을 수도 있지만, 이는 [8] ___________되지 않는다. 일단 우리가 지구에 [9] ___________오면 우리는 [10] ___________ 키로 돌아간다. 무중력은 [11] ___________에도 [12] ___________. 우주 비행사들은 우주에서 떠다니기 때문에 [13] ___________ 위해서 팔다리를 거의 쓰지 않는다. 얼마가 지나면, 그들은 많은 근육량을 [14] ___________ 수 있다. 이 때문에, 그들은 지구에 돌아왔을 때 너무 [15] ___________해져서 걷거나 [16] ___________ 일어서지 못할 수도 있다.

Words

gravity 명 중력 compress 동 꽉 누르다, 압축하다 stretch 동 펴다, 늘이다 last 동 지속되다, 계속되다 height 명 키, 높이 affect 동 영향을 미치다 astronaut 명 우주 비행사 barely 부 거의 ~않다 float 동 (물 위나 공중에서) 떠다니다 muscle mass 근육량 [선택지] deal with ~을 다루다

정답 및 해설 p.5

2 다음 글의 제목으로 가장 적절한 것은?

It is hard to find a way to boost our self-esteem. However, there is one place that may help: the kitchen. Some people go to the kitchen when they are in a bad mood, but not because they want to eat something. They plan to cook a tasty meal. Somehow, their mood changes as they go through the process of cooking. Every small step that is completed, from preparation to the plate, is a success, and this has a positive effect on their feelings. In this way, cooking can be an effective method for giving people encouragement when they need it.

① A Guide to Healthy Ingredients
② The More We Eat, The Better We Feel
③ Cooking: A Recipe for Higher Self-Esteem
④ What to Cook When You Invite Friends
⑤ Can Buying Food Make You Happy?

독해력 PLUS 미니 문제

Q1 윗글의 주제문을 찾아 쓰고 해석하세요.

주제문: ____________________

해 석: ____________________

Q2 주제문을 뒷받침하는 내용으로 제시된 것은 무엇인가요?

① 맛있는 음식을 먹으면 기운이 난다.
② 요리를 하는 모든 과정이 성공의 경험이다.

Words

boost 동 북돋우다 self-esteem 명 자존감 somehow 부 어찌된 일인지, 어쩐지 go through ~을 거치다, ~을 겪다 process 명 과정, 절차 preparation 명 준비 encouragement 명 격려, 용기 [선택지] ingredient 명 재료, 성분 recipe 명 비결, 요리법

3 다음 글의 제목으로 가장 적절한 것은?

What would you do if you were working on a group project and you saw that one of your team members looked sad? Surprisingly, just mentioning it can improve your relationship. If you make a statement like "You look upset" or ask a question such as "Are you okay?" your team member will feel that you care about his or her emotions. In a sense, small statements or questions of recognition like these can change how people feel about you. Soon, you will start to build trust, and you will become closer to them. Showing interest in how other people feel is a great way to create trust in a relationship.

① Body Language: Tips for Getting Trust
② Why We Need to Control Emotions
③ How to Lead a Group Project
④ Being Emotional at Work: a Bad Idea
⑤ Want to Build Trust? Show That You Care!

독해력 PLUS 미니 문제

Q1 윗글의 주제문을 찾아 쓰고 해석하세요.

주제문: ______________________

해　석: ______________________

Q2 주제문을 뒷받침하는 내용으로 제시된 것은 무엇인가요?

① 슬퍼 보이는 팀원에게 말을 건네는 상황
② 그룹 프로젝트에서 의사소통의 어려움을 겪는 상황

Words

mention 동 언급하다　relationship 명 관계　statement 명 한 마디(말), 언급, 표현　in a sense 어떤 의미에서는　recognition 명 인식, 알아봄
[선택지] emotional 형 감정적인　care 동 관심을 가지다

4 다음 글의 주제로 가장 적절한 것은?

Have you ever wondered why your food tastes strange when you have a cold? The answer isn't in your mouth but your nose. Your tongue is good at tasting, but it needs a lot of help from your nose. Your sense of smell is very important to your ability to taste. In fact, approximately 80 percent of it comes from your nose. In one study, researchers found that participants who wore nose plugs described the taste of food less accurately than those who did not wear them. So, when you are sick and have a stuffy nose, it is harder to taste what you eat.

① differences between the five senses
② difficulties in tasting hot foods
③ roles of the tongue in tasting food
④ ways to recover from a cold
⑤ importance of smell in taste

독해력 PLUS 미니 문제

Q1 윗글의 주제문을 찾아 쓰고 해석하세요.

주제문: ______________________________

해 석: ______________________________

Q2 주어진 알파벳으로 시작하는 단어를 위에서 찾아 다음 문장을 완성하세요.

윗글의 n______________는 정답 선택지에서 s______________로 바꾸어 표현되었다.

Words

wonder 동 궁금해하다 taste 동 맛이 나다, 맛을 느끼다 명 맛 good at ~을 잘하는 sense of smell 후각 approximately 부 약, 대략 participant 명 참가자 nose plug 코마개 describe 동 묘사하다, 말하다 accurately 부 정확하게 have a stuffy nose 코가 막히다

Chapter Test

1

지문듣기

다음 글에서 필자가 주장하는 바로 가장 적절한 것은?

We can easily hurt other people's feelings when we speak carelessly. This is because we sometimes don't think about what we say before we say it. For example, if you get into an argument with a friend, it can be easy to just say whatever comes to your mind. You could even end up saying something mean that will make the fight worse. But thinking before you speak could help you avoid a situation like this and keep you from losing friends. It will also make it easier for you to find a solution to problems that you are arguing over. So, for these reasons, you should always choose your words carefully to keep your relationships strong.

① 갈등은 대화를 통해 해결하는 것이 바람직하다.
② 좋은 관계를 유지하려면 말을 신중히 해야 한다.
③ 여러 사람이 함께 있을 때는 태도를 더 조심해야 한다.
④ 문제가 있을 때 적극적으로 해결 방안을 찾아야 한다.
⑤ 다른 사람을 설득하려면 타당한 이유를 제시해야 한다.

Words

easily 부 쉽게 hurt 동 상처를 입히다 carelessly 부 함부로, 부주의하게 argument 명 말다툼, 논쟁 end up v-ing 결국 ~하게 되다 lose 동 잃다, 지다 argue 동 다투다, 논쟁하다

2

지문듣기

다음 글의 요지로 가장 적절한 것은?

We get lots of information from news and media, but it can be dangerous if we don't distinguish fake information from facts. For example, there are many people on the Internet talking about climate change. Some of this content is from expert scientists and some of it is from people who lack professional knowledge. If we listen to the experts, then we can learn about how to help the environment. But if we fail to do that, we may get harmful ideas and could end up doing things that make the situation worse. So, it's important to pay special attention to where our news is coming from.

① 전문가의 의견이 언제나 옳은 것은 아니다.
② 기후 변화를 늦추려면 모두의 동참이 필요하다.
③ 인터넷은 정보를 선택할 수 있는 기회를 제공한다.
④ 언론을 통해 정보를 받아들일 때 분별력이 필요하다.
⑤ 뉴스 기사를 쓸 때는 사실만 전달하는 것이 중요하다.

Words

distinguish A from B A를 B와 구별하다 fake 형 가짜의 climate 명 기후, 날씨 content 명 내용 expert 형 전문적인, 숙련된 명 전문가
lack 동 부족하다 명 부족 professional 형 전문적인 harmful 형 해로운, 위험한 pay attention to ~에 주의를 기울이다

3 다음 글의 주제로 가장 적절한 것은?

지문듣기

Fear is something that many of us desperately try to avoid. Kids are worried that monsters under their bed will appear while they're sleeping. Even adults, who don't have this concern anymore, can fear other things, such as unknown sounds when they hike. However, in reality, fear is the thing that protects us the most. Humans have relied on fear to survive for tens of thousands of years. We feel afraid when we encounter something dangerous, like a large animal. The feeling of fear makes us focus on the danger so that we can think of a way to escape. It's a natural tool our body uses to tell us when a situation is dangerous, which keeps us safe.

① useful ways to overcome fear
② how fear helps us avoid danger
③ why early humans didn't feel afraid
④ importance of animals in scary situations
⑤ the famous stories of monsters around the globe

Words

fear 명 공포 동 두려워하다 desperately 부 간절히, 필사적으로 appear 동 나타나다 concern 명 걱정, 우려 unknown 형 알 수 없는 hike 동 등산하다, 도보 여행하다 in reality 사실은 rely on ~에 의존하다, 기대다 encounter 동 마주치다 escape 동 탈출하다 natural 형 타고난, 선천적인 tool 명 수단, 도구

4

다음 글의 제목으로 가장 적절한 것은?

지문듣기

If you want to identify your life goals, you should consider your likes and interests first. Think about how you enjoy spending your time, and it will help you discover what your dreams are. If you feel the happiest in art class, maybe you should have life goals that are related to creativity. Or, if you love to travel, maybe your dreams should include seeing or living in other places. Having lots of experiences and learning different things is helpful as well. Join a new club or try a new hobby. This way, you can discover more about yourself and what you might want to accomplish during your lifetime. By getting to know yourself, you can set better goals for a satisfying future.

① Self-Discovery: The Key to a Better Future
② Ways to Make Your Dreams a Reality
③ The Goals You Need to Plan a Trip
④ Think Differently to Be Creative!
⑤ How to Start a New Hobby

Words

identify 동 찾다, 확인하다 consider 동 고려하다 interest 명 관심사 discover 동 발견하다 creativity 명 창의성 accomplish 동 이루다, 성취하다
satisfying 형 만족스러운 [선택지] key 명 비결, 실마리, 열쇠

5

지문듣기

다음 글의 요지로 가장 적절한 것은?

The benefits of first aid training are widely known. During a medical emergency, someone who knows first aid can quickly provide treatment. This significantly reduces the risk to the injured person. Despite this obvious advantage of learning first aid, most people are not interested in it. They believe that there is little chance of someone they know being injured. Nonetheless, it is crucial to learn first aid since the majority of accidents actually occur in the home. According to a recent study, approximately 60 percent of deaths that result from indoor accidents could be prevented by first aid. Thus, we should consider it necessary to know how to perform first aid.

* first aid: 응급 처치

① 목격자가 많을수록 응급 처치에 나서지 않는 경향이 있다.
② 사고가 드물더라도 대피 훈련을 게을리 해서는 안 된다.
③ 응급 의료 시설의 위치를 미리 파악해 두는 것이 좋다.
④ 부주의한 시설물 점검은 큰 사고를 유발할 수 있다.
⑤ 주변인을 위해 응급 처치법을 배워 둘 필요가 있다.

Words

benefit 명 장점, 이익 emergency 명 응급 상황 treatment 명 처치, 치료 significantly 부 크게, 상당히 reduce 동 줄이다 risk 명 위험 요소, 위험
injured 형 다친 advantage 명 장점 majority 명 대다수 approximately 부 약, 대략 indoor 형 실내의 perform 동 하다, 실행하다

6

지문듣기

다음 글에서 필자가 주장하는 바로 가장 적절한 것은?

Sometimes we don't do something because we think that we don't have enough skill. We miss out on good opportunities when we do this. In the end, we will have a lot of regret about the good things that could have happened. That's why we must take action when we have the chance. Even if we try and the result isn't perfect, we will still learn. Then we can use this knowledge for the next time to become closer to reaching our goals. So, acting when we have the chance is a good way to keep improving and moving forward.

① 배움을 통해 지식을 계속 쌓아야 한다.
② 실패를 겪더라도 좌절하지 말아야 한다.
③ 기회가 주어졌을 때 실행에 옮겨야 한다.
④ 목표를 달성하려면 자신의 능력을 믿어야 한다.
⑤ 스스로 확신을 갖기 전에는 선택에 신중해야 한다.

Words

miss out on ~을 놓치다 opportunity 명 기회 regret 명 후회 take action 행동에 옮기다, 조치를 취하다 chance 명 기회, 가능성
knowledge 명 지혜, 지식 reach 동 도달하다, 이르다 move forward 나아가다

7

다음 글의 제목으로 가장 적절한 것은?

지문듣기

With the rise of online payment options these days, we are rapidly becoming a cashless society. Although this system is highly convenient for us, it presents a significant threat to our privacy. For one, information about our purchases can be tracked by companies for marketing. More seriously, online payment systems make it easier for our personal data to be stolen. Financial expert Preston Packer says, "a cashless payment is like an open door to identity theft." Given the risk to personal information, it is highly unlikely that the move to a world without cash will go smoothly.

* theft: 도용, 절도

① Cash: Why Are We Still Using It Today?
② Privacy: Not a Concern in a Cashless Society
③ Electronic Tools to Protect Against Data Theft
④ How Global Companies Sell Products Online
⑤ The Problems with Cashless Payments

Words

payment option 결제 방법 cashless 형 현금이 없는, 현금이 불필요한 convenient 형 편리한 significant 형 상당한 privacy 명 사생활 purchase 명 구매 track 동 추적하다 identity 명 신원, 정체 smoothly 부 순조롭게 [선택지] concern 명 문제

8

다음 글의 주제로 가장 적절한 것은?

Being brave can help you develop your skills. Suppose you are trying to write a story. You might feel scared to let anyone read it before you are sure it is perfect. After all, when someone reads it, they could have negative things to say about it. However, we sometimes need to do scary things, because success often requires hardship and failure. Let other people read your story to get some feedback. You may feel discouraged at first, but you'll also learn something new about your writing. Then you can use that information to make your story better, because you now have another perspective.

① advantages of managing risks in advance
② why taking risks leads to improvement
③ risk as an obstacle to personal growth
④ factors we have to check before writing
⑤ how to give useful feedback to students

Words

develop 동 계발하다, 발달시키다 suppose 동 가정하다 negative 형 부정적인, 반대의 require 동 요구하다, 필요로 하다 hardship 명 고난, 고생
failure 명 실패, 고장 discouraged 형 주눅든, 낙담한 perspective 명 관점, 전망 [선택지] obstacle 명 장애물

Chapter 2

추론하며 읽기

기초 쌓기 | 추론의 과정 이해하기
독해 원리 3 | 주제문을 단서로 추론하기
독해 원리 4 | 특정 표현을 단서로 추론하기
Chapter Test

기초 쌓기

추론의 과정 이해하기

추론이란 주어진 정보를 가지고 주어지지 않은 정보를 짐작하는 것이에요. 주어지지 않은 정보가 바로 우리가 추론할 내용이고, 주어진 정보는 단서 역할을 해요.

물건을 디자인할 때는 사용하기 쉽게 만들어야 한다. 보기에 아름다워도 사용하기 불편한 물건은 사람들에게 도움이 되지 않는다. 예를 들어, 책가방을 예쁘게 만들기 위해 너무 많은 장식을 한다면, 가방이 무거워지고 매일 책을 넣고 빼기가 힘들 것이다. 결국 그 가방은 사용하지 않게 될 것이다. **따라서 물건의 디자인은 사용자가 ______________고 느껴야 한다.**

(물건을 디자인할 때는 사용하기 쉽게 만들어야 한다. → 주어진 정보 [추론의 단서])

(______________ → 주어지지 않은 정보 [추론할 내용])

1. 추론할 내용이 무엇인지 먼저 확인해요.

추론할 내용이 무엇인지에 따라 글에서 주목해서 읽어야 하는 부분이 달라지므로 가장 먼저 할 일은 추론할 내용을 확인하는 것이에요. 우리가 앞으로 추론을 통해 알아내야 할 내용에는 윗글처럼 빈칸이 뚫려 있는 부분이나 특정 표현의 숨겨진 의미, 글을 쓴 목적 등이 있어요.

2. 글을 읽으며 단서를 찾아요.

하나의 글은 한 가지 주제를 다루기 때문에, 추론할 내용도 주제와 밀접한 관련이 있어요. 따라서 주로 주제문이나 글의 핵심이 되는 특정 표현들이 가장 큰 단서의 역할을 해요.

3. 단서를 토대로 가장 적절한 내용을 추론해요.

파악한 단서를 바탕으로 우리에게 주어지지 않은 정보의 내용을 추론할 수 있어요.

물건을 디자인할 때는 사용하기 쉽게 만들어야 한다. <추론의 단서: 주제문>

↓ 주제와 관련되도록 추론

따라서 물건의 디자인은 사용자가 편리하다고 느껴야 한다.

주어진 글을 먼저 읽고, 친구들의 대화를 통해 추론을 하는 과정을 살펴볼까요?

❶ Curiosity opens doors to new opportunities and knowledge. ❷ Our need to find answers can lead to surprising discoveries. ❸ Imagine, for instance, ancient humans staring up at the night sky. ❹ Their curiosity about the stars led to the science of astronomy and changed our basic ideas about the universe. ❺ Curiosity drives us to <u>launch a journey into the unknown</u>.

민정

❺의 밑줄 친 launch a journey into the unknown(모르는 것으로의 여정을 시작하다)이 무슨 뜻일까? 여기만 봐서는 잘 모르겠어. 그런데 호기심을 한 마디로 정리하고 있으니 주제문일 것 같아.

진우

그럼 단서 역할을 할 또 다른 주제문이 있는지 찾아보자. ❶에서 호기심이 새로운 기회와 지식으로의 문을 연다고 했어. ❷~❹가 예시를 통해 이를 뒷받침하고 있으니 ❶도 주제문이야.

명호

그렇다면 두 문장이 같은 의미가 되어야겠네. ❺의 모르는 것으로의 여정을 시작한다는 것은 새로운 기회와 지식으로의 문을 연다는 의미라고 추론할 수 있겠어.

Let's Try

1 빈칸에 들어갈 적절한 단어와, 단서가 되는 문장이 올바르게 짝지어진 것을 고르세요.

[A] The human body contains a small amount of gold, and this helps the body ____________. [B] It allows us to move more easily because gold makes our knees and elbows operate properly. [C] Moreover, the brain can easily send signals to the body because of gold. [D] In other words, gold enables the human body to function well.

① sleep, [B]   ② eat, [C]   ③ work, [D]

2 다음 글에서 추론할 수 있는 Carla의 심경과, 단서가 되는 문장이 올바르게 짝지어진 것을 고르세요.

[A] Carla spent weeks training her dog Rex, and he was ready for his first day at the dog park. [B] While the other dogs barked at each other and fought, Rex stayed quiet and waited for Carla's directions. [C] She smiled at Rex, patted him on his head, and said, "Good boy."

① sad, [A]   ② proud, [C]   ③ scared, [B]

빈칸에 들어갈 말이나 밑줄 친 표현의 의미를 추론하는 글에는 주제문이 2개 있고, 그 중 한 개에 빈칸이 있거나 밑줄이 쳐져 있어요. 하나의 글은 한 가지 주제에 대해 이야기하므로, 글 안에 있는 또 다른 주제문이 추론의 단서가 돼요.

❶ 추론할 내용이 포함된 문장을 주제문과 같은 의미로 만든다고 생각하면 쉽게 추론할 수 있어요.

When it comes to climate change, many blame the fossil fuel industry for ruining the ecosystem. But climate change is a summed product of each person's behavior. (단서[주제문]) We provide financial incentives to the fossil fuel industry through actions like regularly traveling on airplanes and cars that burn fossil fuels. Blaming the fossil fuel industry while engaging in these behaviors is a slap in our own face. (추론할 내용 [밑줄 친 표현의 의미]) <모의응용>

기후 변화에 관한 한, 많은 사람들은 생태계를 파괴하는 것에 대해 화석 연료 산업을 비난한다. 하지만 기후 변화는 각 개인 행위의 합쳐진 산물이다. 우리는 화석 연료를 태우는 비행기와 차로 정기적으로 여행하는 것과 같은 행동들을 통해 화석 연료 산업에 금전적인 동기를 제공한다. 이러한 행위들에 참여하면서 화석 연료 산업을 비난하는 것은 스스로의 얼굴 때리기이다.

주제문과 밑줄 친 표현이 포함된 문장의 의미를 같게 만들어야 하므로, 밑줄 친 표현의 의미를 failing to recognize our responsibility for climate change(기후 변화에 대한 우리의 책임을 인지하지 못하는 것)로 추론할 수 있어요.

❷ 주제문에 쓰인 표현이 빈칸에 똑같이 쓰이지는 않으므로 비슷한 의미의 표현으로 빈칸을 완성해요.

A magic trick is about ____________ (추론할 내용 [빈칸에 들어갈 말]) more than skill. After all, the show is designed to accomplish one thing: to make us have fun. A magician who makes humorous mistakes on purpose can be more entertaining than a magician who only performs difficult tricks. So, if you are ever going to do a magic show, practice your acting as much as your technique. (단서[주제문])

마술은 기술보다는 연기와 더 관련이 있다. 무엇보다도, 공연은 한 가지를 달성하기 위해 고안된다: 바로 우리를 즐겁게 만들어 주는 것이다. 재미있는 실수를 일부러 하는 마술사는 어려운 기술만을 하는 마술사보다 더 큰 즐거움을 줄 수 있다. 그러므로 만약 당신이 언젠가 마술 공연을 할 예정이라면, 당신의 기술만큼 당신의 연기를 연습하라.

단서가 되는 주제문에서 technique(기술)만큼 acting(연기)이 중요하다고 말하고 있어요. 빈칸 문장에서 technique이 비슷한 의미의 단어인 skill로 쓰였네요. 그러므로 빈칸에는 주제문의 acting과 유사한 의미인 performance(연기)와 같은 단어가 들어갈 것이라고 추론할 수 있어요.

기출로 확인하기

정답 및 해설 p.11

다음 빈칸에 들어갈 말로 가장 적절한 것을 고르시오. <모의응용>

The most common view among developmental scientists is that people are active contributors to their own development. People are not only influenced by the social context but also play a role in influencing their development by interacting with it. Even infants influence the world around them and develop themselves through their interactions. Consider an infant who smiles at each adult he sees. He influences his world because adults are likely to smile, use "baby talk," and play with him. The infant makes one-on-one interactions with the adults, and creates opportunities for learning. By engaging the world around them, individuals of all ages are "________________________."

① mirrors of their generation
② shields against social conflicts
③ explorers in their own career path
④ followers of their childhood dreams
⑤ manufacturers of their own development

독해력 PLUS 미니 문제

Q1 윗글의 빈칸 문장을 제외한 부분에서 주제문을 찾아 쓰고 해석하세요.

주제문: ________________________________

____

해 석: ________________________________

Q2 주어진 알파벳으로 시작하는 단어를 위에서 찾아 다음 문장을 완성하세요.

윗글의 c____________는 정답 선택지에서 m____________로 바꾸어 표현되었다.

Words

developmental 형 발달의 contributor 명 기여자, 공헌자 context 명 환경, 맥락 play a role 한몫을 하다 interact 동 상호 작용하다 infant 명 유아, 아기 engage 동 끌어들이다 [선택지] shield 명 방패 manufacturer 명 생산자

적용 Practice

1 다음 빈칸에 들어갈 말로 가장 적절한 것을 고르시오.

지문듣기

Scientists have discovered that trees cooperate with each other. Until recently, each tree was viewed as an isolated organism that competed with others for resources. However, recent research has made it clear that this is not the case. Specifically, the roots of trees are joined together by threads of fungi that allow the trees to share water and nutrients with each other. It is especially common for large old trees to send these substances to small young ones. In addition, when a tree is almost dead, it gives most of its resources to its neighboring trees. In this way, trees create something like a ____________.

* fungi: 균류, 곰팡이

① plan
② room
③ community
④ conflict
⑤ shelter

독해력 PLUS 미니 문제

Q1 윗글의 빈칸 문장을 제외한 부분에서 주제문을 찾아 쓰고 해석하세요.

주제문: ____________________

해 석: ____________________

Q2 윗글의 내용과 일치하는 것을 고르세요.

① 나무의 뿌리는 균류로 된 실로 서로 이어져 있다.
② 나무가 거의 죽은 상태일 때는 자원이 남아 있지 않다.

Words

discover 동 발견하다 cooperate 동 협력하다 isolated 형 고립된 organism 명 생물, 유기체 compete 동 경쟁하다 resource 명 자원 thread 명 실, 가는 선 nutrient 명 영양분 substance 명 물질 neighboring 형 근처의 [선택지] shelter 명 은신처

2 밑줄 친 punch above their weight가 다음 글에서 의미하는 바로 가장 적절한 것은?

지문듣기

When people learn a new game or sport, they often think they are better at it than they actually are. For example, people usually improve a lot when they first start to play chess. They feel excited that they are getting better and think they are ready to play against advanced players. But they shouldn't punch above their weight. Advanced players have more knowledge. They will always defeat beginners easily. This will cause some new players to feel bad about chess and give up. Beginners should play with people at a similar skill level so that they have more chances to gain experience and improve.

① try anything beyond their level
② refuse to learn advanced techniques
③ play chess with people from lower levels
④ worry about their lack of knowledge
⑤ try to win every game they play

독해력 PLUS 해석 노트

윗글의 해석을 완성해가며 글을 이해해 봅시다.

도입	사람들은 새로운 게임이나 스포츠를 [1] ____________ 때, 그들의 실제 실력보다 그것을 [2] ____________고 종종 생각한다.
뒷받침	[3] ____________, 사람들이 체스를 두는 것을 처음 시작할 때 보통 많이 [4] ____________. 그들은 그들이 나아지고 있다는 것에 신이 나서, [5] ____________ 선수들을 상대로 겨룰 [6] ____________가 되었다고 생각한다.
주제문	하지만, 그들은 자신들의 체급 [7] ____________ 주먹을 내지르지 말아야 한다.
뒷받침	상급 선수들은 [8] ____________이 더 많다. 그들은 초보자들을 항상 [9] ____________ [10] ____________ 것이다. 이는 일부 초보자들이 체스에 대해 나쁘게 느끼고 [11] ____________ 할 것이다.
주제문	초보자들은 경험을 [12] ____________ 향상할 더 많은 기회를 가지도록 [13] ____________ 실력 수준에 있는 사람들과 겨루어야 한다.

Words

improve 동 향상하다 play against ~와 겨루다, 시합하다 advanced 형 상급의 weight 명 체급, 무게 knowledge 명 지식, 경험, 숙련
defeat 동 이기다, 패배시키다 give up 그만두다, 포기하다 gain 동 얻다

3 다음 글의 내용을 한 문장으로 요약하고자 한다. 빈칸 (A), (B)에 들어갈 말로 가장 적절한 것은?

In an experiment by social psychologist Robert Zajonc, people were shown a series of different images. Each image was visible for less than a second, so the participants couldn't recognize them easily. They saw some of these pictures repeatedly while other pictures were seen just once. Then, they described their mood and how they felt about the things they looked at. Zajonc found that people liked images more when they had already seen them several times. This experiment was an example of the Mere Exposure Effect. It is the idea that people like things that they've encountered many times before. It can even happen when we don't notice that we are seeing something. So, whether we like or dislike something depends on how many times we've seen it.

⬇

People have ___(A)___ feelings for things simply because they are ___(B)___.

	(A)		(B)
①	negative	……	repetitive
②	positive	……	supportive
③	positive	……	familiar
④	uneasy	……	noticeable
⑤	uneasy	……	unique

독해력 PLUS 미니 문제

Q1 윗글의 주제문을 찾아 쓰고 해석하세요.

주제문: ____________________

해 석: ____________________

Q2 윗글의 내용과 일치하지 <u>않는</u> 것을 고르세요.

① 참가자들은 1초도 안 되는 시간 동안 그림을 보았다.
② 참가자들은 그림을 관찰한 후 어떤 그림을 갖고 싶은지 선택했다.

Words

psychologist 명 심리학자 visible 형 볼 수 있는, 보이는 recognize 동 알아보다, 인식하다 repeatedly 부 반복해서 mood 명 감정, 기분 Mere Exposure Effect 단순 노출 효과 encounter 동 마주치다 [선택지] supportive 형 지지하는 uneasy 형 불쾌한 noticeable 형 눈에 띄는

4 다음 빈칸에 들어갈 말로 가장 적절한 것을 고르시오.

지문듣기

Lionfish are great at catching other fish because they are good at hiding. They are dangerous hunters. They have red, brown, and white stripes that match nearby rocks, and their long fins look like ocean plants. So when they are not moving, it is very difficult to notice them. When it's time to hunt, a lionfish simply waits for another fish to get close. The prey doesn't even realize that danger is nearby. Once it gets close enough, the lionfish attacks the prey and swallows it in one big bite. The ability to ___________ makes the lionfish a successful predator.

* lionfish: 쏠배감펭(양볼락과의 바닷물고기)

① get bigger
② track prey
③ swim faster
④ change color
⑤ remain unseen

독해력 PLUS 해석 노트

윗글의 해석을 완성해가며 글을 이해해 봅시다.

주제문	쏠배감펭은 [1]___________ 데 능숙하기 때문에 다른 물고기를 [2]___________ 것에 아주 뛰어나다.
뒷받침	그것들은 [3]___________ 사냥꾼들이다. 그것들은 주변 [4]___________와 [5]___________ 붉은색, 갈색, 흰색 [6]___________를 가지고 있으며, 그것들의 긴 지느러미는 마치 [7]___________ 식물처럼 생겼다. 그래서 그들이 [8]___________ 않을 때는, 그들을 [9]___________가 매우 어렵다. [10]___________할 시간일 때, 쏠배감펭은 그저 다른 물고기가 [11]___________ 오기를 기다린다. [12]___________은 가까이에 [13]___________이 있다는 것을 깨닫지조차 못한다. 일단 그것(먹잇감)이 [14]___________ 가까이 오면, 쏠배감펭은 먹잇감을 [15]___________해서 그것을 한 입에 크게 [16]___________.
주제문	[17]___________________ 능력은 쏠배감펭을 성공적인 [18]___________로 만든다.

Words

stripe 명 줄무늬 match 동 어울리다 fin 명 지느러미 prey 명 먹잇감 realize 동 알아차리다, 깨닫다 predator 명 포식자 [선택지] track 동 추적하다 remain 동 계속 ~이다 unseen 형 눈에 띄지 않는 소설의 일부분 같은 이야기를 읽고 이야기 속 주인공이 어떤 심경인지 추론하고, 편지글을 읽으면서 글쓴이가 이 편지를 왜 썼는지를 추론해 볼 거예요. 이러한 종류의 글에는 주제문이 없기 때문에, 주제문 대신 특정 표현들이 추론의 단서가 돼요.

① 인물의 심경이나 글의 분위기는 속마음, 기분, 태도, 행동 등을 묘사한 표현을 통해서 추론할 수 있어요.

Clara, an 11-year-old girl, sat in the back seat of her mother's car with the window down. She was **sad** about moving and **was not smiling**. Her **heart felt like it hurt**. The fact that she had to leave everything she knew **broke her heart**. She **feared** that she would face the coming school year alone. Clara **sighed heavily**. <모의응용>

11살 소녀 Clara는 창문을 내린 채 엄마의 자동차 뒷좌석에 앉았다. 그녀는 이사 가는 것에 대해 슬펐고, 웃고 있지 않았다. 그녀의 마음이 아픈 것 같았다. 그녀가 알던 모든 것을 떠나야 한다는 사실은 그녀의 마음을 아프게 했다. 그녀는 다가오는 학년을 홀로 마주할까 봐 무서웠다. Clara는 크게 한숨을 쉬었다.

기분이나 태도를 묘사하는 다양한 표현을 단서로 Clara의 기분이 sorrowful and worried(슬프고 걱정스러운)에 해당한다는 것을 추론할 수 있어요.

TIP 기분이나 태도를 묘사하는 표현

joyfully 기쁘게	uneasy 불안한	grief 슬픔	thrilled 신이 난	concerned 걱정스러운
yell out in anger 화나서 소리지르다		felt as if he were in heaven 그는 천국에 있는 것처럼 느꼈다		heart sank 가슴이 내려앉았다

② 글을 쓴 목적은 요청, 제안, 초대 등을 나타내는 표현을 단서로 추론할 수 있어요.

Dear Mr. Anderson,

On behalf of Jeperson High School, **I am writing this letter to request permission to conduct an industrial field trip in your factory**. We hope to give practical education to our students in regard to industrial procedures. But of course, we need your support. I would appreciate your cooperation.

Sincerely,
Ray Feynman <모의응용>

Anderson 씨께,

제퍼슨 고등학교를 대표하여 귀사의 공장에서 산업 현장 견학을 할 수 있도록 허가를 요청하고자 이 편지를 씁니다. 우리는 학생들에게 산업 절차에 관한 실용적인 교육을 해주고 싶습니다. 하지만 물론, 우리는 당신의 지원이 필요합니다. 협조해 주시면 감사하겠습니다.

Ray Feynman 드림

글쓴이는 학생들을 데리고 공장에서 견학을 할 수 있도록 허가를 얻고자 하네요. 요청을 나타내는 표현 I am writing this letter to request가 포함된 문장을 통해 공장 견학 허가를 요청하려고 글을 쓴 것임을 추론할 수 있어요.

TIP 글을 쓴 목적을 나타내는 표현

it is my humble request ~ ~는 저의 소박한 요구사항입니다	I would like to ask you ~ 저는 당신께 ~를 부탁드리고자 합니다
we are kindly asking you to ~ 당신이 ~해주시기를 정중하게 요청드립니다	
we would be grateful if you can make it to ~ 당신이 ~에 오시면 감사할 것입니다	

기출로 확인하기

정답 및 해설 p.14

지문듣기

다음 글의 목적으로 가장 적절한 것은? <모의응용>

Dear Mr. Jones,

I am James Arkady, PR Director of KHJ Corporation. We are planning to redesign our brand identity and launch a new logo to celebrate our 10th anniversary. We request you to create a logo that best suits our company's core vision, 'To inspire humanity.' I hope the new logo will convey our brand message and capture the values of KHJ. Please send us your logo design proposal once you are done with it. Thank you.

Best regards,
James Arkady

① 회사 로고 제작을 의뢰하려고
② 변경된 회사 로고를 홍보하려고
③ 회사 비전에 대한 컨설팅을 요청하려고
④ 회사 창립 10주년 기념품을 주문하려고
⑤ 회사 로고 제작 일정 변경을 공지하려고

독해력 PLUS 미니 문제

Q1 정답의 단서가 되는 문장을 찾아 쓰고 해석하세요.

문장: ______________________________

해석: ______________________________

Q2 윗글의 내용과 일치하지 않는 것을 고르세요.

① KHJ사는 창립 10주년을 맞았다.
② KHJ사의 로고 디자인 공모전이 열렸다.

Words

PR director 홍보부 이사 redesign 동 다시 설계하다 identity 명 정체성 launch 동 선보이다 suit 동 적합하다, 맞다 core 형 핵심적인 vision 명 비전, 가치 inspire 동 고취시키다 humanity 명 인류애, 인간성 convey 동 전달하다 capture 동 담다, 포착하다 proposal 명 제안서, 제안

적용 Practice

1 다음 글의 목적으로 가장 적절한 것은?

Dear Ms. Atwater,

We are really excited to perform at the school festival. Our tap dance team members have been practicing a lot since last April. And now, there are only two months left for the show. Some of our members want to get some extra practice in the evening, but the room that we use now is only open during the afternoon. So, I am wondering if there is another room that we could use for practice in the evening. Thank you for helping us get ready for our performance.

Sincerely,
Jessica Schwartz

① 연습실 공사 일정을 안내하려고
② 댄스 동아리 가입 절차를 확인하려고
③ 공연에 초대해 준 것에 대해 감사하려고
④ 추가 연습실 사용이 가능한지 문의하려고
⑤ 행사에 필요한 소품들에 대해 설명하려고

독해력 PLUS 미니 문제

Q1 정답의 단서가 되는 문장을 찾아 쓰고 해석하세요.

문장: ______________________________

해석: ______________________________

Q2 윗글의 내용과 일치하지 않는 것을 고르세요.

① Jessica Schwartz는 탭 댄스 동아리원이다.
② 공연은 4월에 예정되어 있다.

Words

perform 동 공연하다, 수행하다 tap dance 탭 댄스 extra 형 추가의, 여분의 wonder 동 궁금하다

2 다음 글의 상황에 나타난 분위기로 가장 적절한 것은?

지문듣기

Carl watched the airport employee prepare to speak into the microphone. "Attention, ladies and gentlemen, I'm sorry to announce that Flight 524 will be delayed another four hours," the employee said. Carl rolled his eyes. He and his family had waited at the airport all day. He had eaten, read his book, played on his phone, and even watched a movie. Carl didn't know what to do. His parents were both sleeping, so he couldn't even talk to them. He sighed and stared at the clock. Carl wished the time would go faster.

① calm
② urgent
③ boring
④ exciting
⑤ frightening

독해력 PLUS 해석 노트

윗글의 해석을 완성해가며 글을 이해해 봅시다.

Carl은 공항 [1]__________이 마이크를 통해 말을 하려고 [2]__________하는 것을 보았다. "신사 숙녀 여러분께 알려드립니다, 524편 항공기가 4시간 더 [3]__________ 것이라는 소식을 전하게 되어 죄송합니다"라고 직원이 말했다. Carl은 [4]__________. 그와 그의 가족은 공항에서 하루 종일 [5]__________. 그는 식사를 했고, 책을 읽었으며, 휴대폰을 했고, [6]__________ 영화까지 봤다. Carl은 [7]__________ 몰랐다. 그의 부모님은 두 분 다 자고 있었기에, 그는 그들에게 말을 건넬 수도 없었다. 그는 [8]__________ 시계를 [9]__________. Carl은 [10]__________이 [11]__________ 가기를 바랐다.

Words

employee 명 직원 microphone 명 마이크 flight 명 항공기, 비행 roll one's eyes 두리번거리다, 눈을 굴리다 sigh 동 한숨을 쉬다
stare 동 쳐다보다, 노려보다 [선택지] urgent 형 긴박한 frightening 형 무서운

3 다음 글의 목적으로 가장 적절한 것은?

Dear students,

The final day of the school year is coming soon. The high school library is happy that so many students borrowed books this year. As you are aware, the library will update all the book lists during winter vacation. To start the project properly, we have to make sure that we have all of our books. Therefore, we would like to ask you to return all borrowed books before the last day of November. As always, you can return your books at the front desk or at the drop box outside the library entrance. Thank you for your cooperation.

Sincerely,
Peter Gagliano
Library Manager

① 도서관 운영 시간 변경을 공지하려고
② 대출 중인 책들의 반납을 요청하려고
③ 도서관 자원봉사자를 모집하려고
④ 도서관 이용 수칙을 설명하려고
⑤ 신규 도서 정보를 안내하려고

독해력 PLUS 미니 문제

Q1 정답의 단서가 되는 문장을 찾아 쓰고 해석하세요.

문장: ______________________________

해석: ______________________________

Q2 윗글의 내용과 일치하는 것을 고르세요.

① 도서관 입구 바깥에 투입함이 있다.
② 겨울 방학 동안 도서관 대청소가 진행될 것이다.

Words

school year 학년 borrow 동 빌리다, 대출하다 aware 형 알고 있는 update 동 최신화하다 properly 부 제대로, 적절히 drop box 투입함 cooperation 명 협조, 협력

4 다음 글에 드러난 Iris의 심경 변화로 가장 적절한 것은?

Iris smiled from ear to ear as she quickly walked down the school hallway. Today was the day. The school was announcing the actors for the new play. Iris had done so well in her audition, so she was sure she would get the part of the main character. "There it is!" she said. The name sheet was taped to the wall, and a crowd was gathered around it. "I can't wait to see the list!" But when Iris finally looked at it, she felt her stomach drop. Her name wasn't there. She hadn't gotten the part. Iris backed away and tried to hold in her tears.

① worried → pleased
② ashamed → cheerful
③ impressed → confused
④ uninterested → jealous
⑤ confident → disappointed

독해력 PLUS 해석 노트

윗글의 해석을 완성해가며 글을 이해해 봅시다.

Iris는 학교 복도를 [1]__________ 걸어 내려오면서 입이 귀에 걸릴 만큼 [2]__________. 오늘이 바로 그 날이었다. 학교는 새 연극의 [3]__________들을 [4]__________ 예정이었다. Iris는 그녀의 오디션에서 [5]__________ 했기에, 그녀는 그녀가 [6]__________ 역을 따낼 것이라 [7]__________했다. "저기 있군!" 그녀가 말했다. 명단이 벽에 붙어 있었고, 그 [8]__________으로 사람들이 [9]__________. "나는 명단을 [10]__________!" [11]__________ Iris가 마침내 그것을 보았을 때, 그녀는 속이 내려앉는 것을 [12]__________. 그녀의 [13]__________은 거기에 없었다. 그녀는 [14]__________을 따내지 못했던 것이다. Iris는 뒷걸음질 치며 [15]__________을 [16]__________ 애썼다.

Words

hallway 명 복도 announce 동 발표하다, 알리다 actor 명 배우 play 명 연극 part 명 배역, 역할 crowd 명 사람들, 군중 gather 동 모으다
stomach 명 속, 위(장) [선택지] ashamed 형 부끄러운 impressed 형 감동한, 좋은 인상을 받은 uninterested 형 무관심한

Chapter Test

1

다음 글의 목적으로 가장 적절한 것은?

지문듣기

Dear members of Bradford Sports Club,

As you all know, it's been a month since Bradford Sports Club opened for business. We are truly grateful that so many people have decided to come to our facility and enjoy our services. To show our appreciation, we are planning to give something to you in return. So, we would like to invite you to our free trial classes for tennis, swimming, and yoga. We hope to see you soon. Thank you.

Sincerely,
John Miller
Bradford Sports Club Manager

① 수업 취소에 대해 사과하려고
② 스포츠 클럽 가입 절차를 설명하려고
③ 무료 체험 수업에 회원들을 초대하려고
④ 다음 달에 있을 대회 일정을 안내하려고
⑤ 스포츠 클럽 강사 채용 계획을 공지하려고

Words

open for business 개업하다 grateful 형 감사하는 facility 명 시설 appreciation 명 감사 in return 답례로, 보답으로 invite 동 초대하다 trial 명 체험, 시범

2

다음 글에 드러난 Jennifer의 심경으로 가장 적절한 것은?

When Jennifer entered the museum, her eyes widened. She had never seen so many huge bones before. "Welcome everyone. We hope you enjoy our new exhibit," her tour guide said. Jennifer didn't know anything about dinosaurs, but she couldn't wait to hear more about them now. There were skeletons and pictures of them everywhere. She listened closely as the tour guide talked about each one. When her group finished going around the exhibit, the tour guide asked if anyone had any questions. Jennifer's hand shot up into the air in response. She was so excited to learn more.

① jealous and angry
② touched and proud
③ anxious and frightened
④ amazed and curious
⑤ embarrassed and guilty

Words

widen 동 (눈이) 둥그레지다, 넓어지다　exhibit 명 전시　skeleton 명 뼈, 골격　shoot up 솟아오르다　in response ~에 답하여, 반응하여
[선택지] jealous 형 질투하는　anxious 형 불안한　frightened 형 두려운　embarrassed 형 부끄러운, 수치스러운

3

밑줄 친 get out of your bubble이 다음 글에서 의미하는 바로 가장 적절한 것은?

We tend to make friends with people who share our interests. It is comforting to be surrounded by people with personalities similar to our own. While this urge may be natural, it is actually unhealthy. Specifically, it can result in the development of a very narrow worldview. This is why experts encourage people to seek out individuals from different backgrounds to form friendships with. Doing so opens us up to new experiences and improves our communication skills. It also helps us to learn how to cooperate with those we disagree with. This is an important ability to have in the environments where we spend time with a variety of people. Therefore, when you look for new friends, get out of your bubble.

① spend your time outside
② find ones that respect you
③ show them your best qualities
④ try to share hobbies with them
⑤ avoid people who are similar to you

Words

comforting 형 안심이 되는, 위로하는 be surrounded by ~로 둘러싸여 있다 personality 명 성격 urge 명 열망, 충동 specifically 부 특히 narrow 형 좁은 worldview 명 세계관 seek out ~을 찾아 내다 open up ~을 가능하게 하다 [선택지] quality 명 재능, 특성

정답 및 해설 p.16

4

다음 빈칸에 들어갈 말로 가장 적절한 것을 고르시오.

지문듣기

When we choose to do something, it's easy to think about the advantages that we will get. However, the value of other choices is also important. If we use our time to do one thing, then we can't use it to do something else. This is called opportunity cost. Imagine that someone who makes a lot of money needs to clean her house. If she did it herself, she wouldn't have to pay a cleaning person. But at the same time, she also wouldn't be able to work and make money. So, it would make sense if she paid someone to clean the house while she earned a large amount of money. Thus, we should consider ______________________ when we make a decision.

① how much time is needed
② whether the house is clean
③ what the other options cost
④ that we might need more people
⑤ if we can afford a costly product

Words

advantage 명 이득, 장점　value 명 가치, 값　opportunity cost 기회 비용　make sense 말이 되다, 이치에 맞다　[선택지] cost 동 값이 (얼마) 하다
afford 동 여유가 있다　costly 형 값비싼

5

다음 글의 내용을 한 문장으로 요약하고자 한다. 빈칸 (A), (B)에 들어갈 말로 가장 적절한 것은?

지문듣기

Psychologist Elton Mayo tried to find out if certain changes in a work situation would affect how well employees perform. So, he observed two groups of people at work. For one group, he kept the same schedule and environment from before. However, for the other group, he would make changes such as adjusting the break times or the lighting of the factory. Mayo was surprised to find that the productivity of the group in the altered situation increased. This even happened when the changes appeared to be negative, like making the room that people worked in darker. In fact, when different things kept changing, the participants felt like someone was concerned about their work behavior or environment. The employees felt the need to work harder as a result. In other words, they tried to improve how they worked because of the attention.

⬇

Workers in the factory ____(A)____ their behavior when they realized they were being ____(B)____.

	(A)		(B)
①	changed	……	praised
②	changed	……	watched
③	reported	……	instructed
④	reported	……	encouraged
⑤	controlled	……	punished

Words

situation 명 환경 observe 동 관찰하다 adjust 동 조정하다, 조절하다 break time 쉬는 시간 lighting 명 조명 productivity 명 생산성 alter 동 바꾸다, 변경하다 concerned 형 관심이 있는, 염려하는 [선택지] praise 동 칭찬하다 instruct 동 지시하다

6

지문듣기

다음 글에 드러난 'I'의 심경 변화로 가장 적절한 것은?

I stared at the field and began to sweat. It was my first day of practice with a new team. I saw a group of girls and slowly walked up to them. My stomach felt heavy when I asked, "Are you the girl's soccer team?" "Yes," one of them replied. "You must be Sarah! We're so happy to meet you!" All of the girls smiled at me and began to ask me questions. They were all so easy to talk to. We played after that, and I couldn't stop laughing the entire time. It was the best soccer practice I had ever had.

① wishful → frightened
② hopeful → depressed
③ indifferent → sad
④ upset → proud
⑤ worried → delighted

Words

field 명 경기장 sweat 동 땀을 흘리다 명 땀 heavy 형 더부룩한, 소화가 잘 안 되는 reply 동 대답하다 laugh 동 웃다 [선택지] wishful 형 갈망하는 depressed 형 우울한 indifferent 형 무관심한 upset 형 기분이 상한 delighted 형 즐거워하는, 기쁜

7

밑줄 친 cook in your own kitchen이 다음 글에서 의미하는 바로 가장 적절한 것은?

지문듣기

If you are on a team, it's a good idea to cook in your own kitchen. Each person on a team has a job. Also, everyone has strengths and weaknesses. On a good team, everyone is doing something that they are skilled at. For example, if you have a talent for doing calculations, then you might be in charge of the tasks that use numbers. Another team member who is very artistic might do all of the jobs with images. However, the team will be less productive if you ignore your own tasks to help the artistic person. Even though you are trying to do a nice thing, art is not your strong point. So, stay focused on the tasks you do best, and your team will work together efficiently.

* calculation: 계산

① do what you are good at
② develop various skills for work
③ be familiar with your workplace
④ keep a safe distance from others
⑤ interact with your teammates

Words

strength 명 강점 weakness 명 약점 skilled 형 능숙한, 숙련된 talent 명 재능 be in charge of ~을 맡다, 담당하다 task 명 일
artistic 형 예술적 감각이 있는 productive 형 생산적인 ignore 동 무시하다, 모르는 체하다 efficiently 부 효율적으로 [선택지] distance 명 거리

8

지문듣기

다음 빈칸에 들어갈 말로 가장 적절한 것을 고르시오.

We do many things to save water. We might take quick showers or turn off the faucet while we brush our teeth. However, the water we use at home is only a tiny part of our water footprints. A huge part of our water use actually ______________________________. For example, it takes around 900 gallons of water to produce one normal-sized steak. This is because cows have to eat so many crops, and these crops take so much water to grow. Other meats and dairy products also require a lot of water to produce. In comparison, fruits and vegetables usually take very little water to produce. This shows how our diets shape our overall water usage.

* water footprint: 물 발자국

① depends on our daily habits
② results from the food we eat
③ influences a person's health
④ affects meat consumption
⑤ involves household tasks

Words

faucet 명 수도꼭지 crop 명 곡물, 농작물 dairy product 유제품 diet 명 식사, 식습관 shape 동 형성하다 usage 명 사용(량)
[선택지] depend on ~에 달려 있다 result from ~에서 비롯되다 consumption 명 소비 household task 집안일

Chapter 3

흐름 파악하며 읽기

기초 쌓기 | 흐름 파악하기
독해 원리 5 | 흐름에 맞게 글의 순서 배열하기
독해 원리 6 | 흐름을 통해 글의 맥락 바로잡기
Chapter Test

기초 쌓기

흐름 파악하기

글은 하나의 주제에 대해 일정한 방향으로 흘러가야 해요. 글의 흐름이 이처럼 자연스러운지 파악하려면 문장과 문장을 이어주는 연결 고리가 적절하게 쓰였는지 살펴야 해요. 그리고 모든 문장이 글의 주제와 긴밀하게 연관되어 있는지 확인해야 해요.

산타클로스는 세계적으로 가장 인기 있는 마스코트 중 하나다. 산타클로스는 특히 어린 아이들에게 더 사랑받는다. 통일성을 해치는 문장 크리스마스가 여름인 남반구의 산타클로스는 털옷과 부츠 대신 반팔 티를 입고 샌들을 신는다. 연결 고리 **왜냐하면** 몰래 선물을 놓고 가는 신비로운 존재이면서, 할아버지를 떠올리게 하는 푸근한 이미지를 가지고 있기 때문이다.

연결 고리: 문장과 문장이 자연스럽게 이어지는가?

연결 고리란 문장과 문장을 자연스럽게 이어주는 말이에요. 예를 들어, '왜냐하면'이라는 말은 이유를 설명할 때 쓰이고, '그것'은 앞에서 언급한 대상을 가리킬 때 쓰여요. 이러한 연결 고리들은 글의 흐름에 따라 어떤 내용이 이어질지를 알려주는 역할을 하기 때문에 글의 내용을 파악하기 쉽게 해 줘요. 따라서, 연결 고리들이 적절한 곳에 쓰였다면 글의 흐름이 자연스러워요.

글의 통일성: 글의 모든 문장이 주제와 긴밀하게 연관되어 있는가?

글의 통일성이란 글을 구성하는 모든 문장들이 하나의 주제와 관련되어 있는 것을 말해요. 만약 글 속의 어떤 문장이 주제에서 벗어난 내용을 다룬다면, 그 문장은 글의 통일성을 해치게 되어 흐름을 어색하게 만들어요.

윗글은 산타클로스가 사랑받는 이유에 대한 글이에요. 그런데 산타클로스의 복장에 대해 이야기하는 세 번째 문장은 주제에서 벗어나기 때문에 통일성을 해치는 문장이라고 할 수 있어요.

정답 및 해석 p.20

주어진 글을 먼저 읽고, 친구들의 대화를 통해 글의 흐름을 어떻게 파악하는지 살펴볼까요?

❶ For hundreds of years, humans thought their ability to make and use tools was unique in the animal world. ❷ In 1969, **this idea** was destroyed by Dr. Jane Goodall. ❸ **She** reported several cases of chimpanzees making and using tools. ❹ **For example**, they used sticks to get ants out of the ground. ❺ The chimpanzees **also** adapted objects for tools so that they were suited for certain tasks.

진우

❶은 인간이 오랫동안 믿어온 생각에 대해 언급하고 있어. ❷의 this idea는 이 생각을 가리키는 연결 고리로 쓰였어.

민정

❸의 She는 ❷의 Goodall 박사를 가리키는 연결 고리구나. 침팬지들도 도구를 사용한다는 ❸의 내용은 이 글의 주제이기도 해.

명호

맞아. ❹의 for example은 주제와 예시를 연결하는 연결 고리인데, ❹와 ❺는 침팬지들이 막대기를 사용하는 예시와 사물을 도구로 개조한 사례를 들고 있기 때문에 흐름이 자연스러워.

Let's Try

1 다음 글의 흐름에 관한 설명으로 적절한 것을 고르세요.

[A] There are many reasons why kids like to play in water. [B] Water is a safe place to have fun because they are less likely to fall down and get hurt. [C] In addition, playing in water is a great way to cool down when the weather gets too hot.

① [B]의 they는 [A]의 reasons를 가리킨다.
② [C]의 In addition은 흐름상 적절히 쓰인 연결 고리이다.

2 다음 글의 흐름에 관한 설명으로 적절하지 않은 것을 고르세요.

[A] Usually, male frogs make sounds to attract female frogs. [B] But some frogs choose to dance because making sounds is not useful in a loud environment. [C] Frogs can change the color of their skin. [D] By moving their legs and jumping around, they are easily noticed by the females.

① [D]의 they는 [B]의 sounds를 가리킨다.
② [C]는 글의 통일성을 해쳐서 흐름을 어색하게 만든다.

독해 원리 5 | 흐름에 맞게 글의 순서 배열하기

여러 조각으로 나뉘어진 글을 올바른 순서로 배열하기 위해서는 연결 고리를 활용하는 것이 중요해요. 연결 고리는 각 문단의 첫 문장에 주로 나와요. 연결 고리가 글의 어떠한 흐름을 나타내는지 또는 무엇을 가리키는지를 파악해요.

❶ 글의 흐름 또는 가리키는 대상에 따라 다양한 연결 고리가 쓰여요.

논리적 흐름을 나타내는 연결 고리	결론·요약	so/hence/therefore 그래서, 그러므로
	첨가·부연	additionally/in addition 게다가
	예시	for example/for instance 예를 들어
	대조·전환	however/but 하지만, 그러나 conversely 반대로
	유사	similarly/likewise 마찬가지로
시간의 흐름을 나타내는 연결 고리	after ~후에 then 그 다음에, 그러고 나서 when ~할 때 as ~하고 있을 때	
앞에 나온 대상이나 내용을 가리킬 때 쓰이는 연결 고리	this/these 이(것)/이 ~들 that/those 그(것)/그 ~들, 그것들 it/they 그것/그것들, 그들	

❷ 연결 고리가 나타내는 글의 흐름 또는 가리키는 대상을 파악하고, 이를 토대로 글의 순서를 배열해요.

(A) **It** can also improve our memories and ability to multi-task.

(B) **Therefore**, we should learn foreign languages.

(C) **Learning foreign languages** makes traveling around the world easier and more enjoyable.

(A) 그것은 또한 우리의 기억력과 동시에 여러 가지 일을 하는 능력을 향상시킬 수 있다.
(B) 그러므로, 우리는 외국어를 배워야 한다.
(C) 외국어를 배우는 것은 세계를 여행하는 것을 더 쉽고 더 재미있게 만든다.

(A) It은 앞에 나온 대상을 가리키는 연결 고리이므로, 기억력과 동시에 여러 가지 일을 하는 능력을 향상시키는 것이 무엇인지가 앞에 나와야 해요.
(B) Therefore는 결론을 나타내는 연결 고리이므로 앞에 외국어를 배워야 하는 이유들이 와야 해요.
(C) 외국어를 배우는 것의 좋은 점을 말하고 있어요. (A)의 It이 가리키는 것이 Learning foreign languages이겠군요. 따라서 (C)는 (A) 앞에 와야 해요.

↓

(C) **Learning foreign languages** makes traveling around the world easier and more enjoyable.

(A) **It** can also improve our memories and ability to multi-task.

(B) **Therefore**, we should learn foreign languages.

정답 및 해설 p.20

주어진 글 다음에 이어질 글의 순서로 가장 적절한 것을 고르시오. <모의응용>

지문듣기

> Understanding how to develop respect for and a knowledge of other cultures begins with a simple rule: "I treat others in the way that I want to be treated."

(A) It can also create a frustrating situation where we believe we are doing the right thing but our actions are not interpreted correctly. This miscommunication can lead to problems.

(B) However, in a multicultural setting, where words and gestures may have different meanings, this rule may not work. It can send an unintended message that my culture is better than yours.

(C) This rule makes sense on some level; if we treat others as well as we want to be treated, we will be treated well in return. This rule works well in a monocultural setting, where everyone is working within the same cultural background.

* miscommunication: 의사소통 오류

① (A) – (C) – (B)
② (B) – (A) – (C)
③ (B) – (C) – (A)
④ (C) – (A) – (B)
⑤ (C) – (B) – (A)

독해력 PLUS 미니 문제

Q1 문단 (B) 앞에 와서 However와 흐름이 연결될 수 있는 문장을 윗글에서 찾아 쓰고 해석하세요.

문장: ______________________

해석: ______________________

Q2 문단 (C)의 This rule이 가리키는 문장을 윗글에서 찾아 쓰고 해석하세요.

문장: ______________________

해석: ______________________

Words

develop 동 발달시키다 treat 동 대우하다, 대하다 frustrating 형 좌절감을 주는 interpret 동 해석하다, 설명하다 multicultural 형 다문화의 work 동 작용하다, 기능하다, 효과가 있다 unintended 형 의도하지 않은 make sense 말이 되다, 이치에 맞다 monocultural 형 단일 문화의

적용 Practice

1 주어진 글 (A)에 이어질 내용을 순서에 맞게 배열한 것으로 가장 적절한 것은?

(A)

A businessman arrived in a small city for a work meeting. Since he had a lot of things to do on the first day, he told the taxi driver to hurry to the hotel.

(B)

What he saw was a deep blue ocean and a white sand beach. He breathed in deeply with surprise, and slowly put the files down. "It's beautiful," he whispered.

(C)

The taxi driver then pointed out the window. "Sometimes, there are more important things than work," he said. The businessman looked up.

(D)

"Have you been here before?" the driver asked on the way there. "No. I just came here for work," the businessman replied. He took out some files to look at as they drove to the hotel.

① (B) – (D) – (C)
② (C) – (B) – (D)
③ (C) – (D) – (B)
④ (D) – (B) – (C)
⑤ (D) – (C) – (B)

독해력 PLUS 미니 문제!

Q1 윗글의 글쓴이가 말하고자 하는 바가 드러난 문장을 찾아 쓰고 해석하세요.

문장: ______________________________

해석: ______________________________

Q2 문단 (C)에 대한 설명으로 적절한 것을 고르세요.

① then을 통해 택시에서 내린 이후의 상황을 묘사한다.
② 뒤에는 회사원이 창밖으로 내다본 풍경과 관련한 내용이 이어질 것이다.

Words

businessman 명 회사원, 사업가 hurry 동 서둘러 가다 breathe in 숨을 들이마시다 whisper 동 속삭이다, 소곤거리다 point out ~을 가리키다, 지목하다 look up 얼굴을 들다, 올려다보다

2 주어진 글 다음에 이어질 글의 순서로 가장 적절한 것을 고르시오.

지문듣기

Violas and violins are two musical instruments that look very similar. However, there are a few things that make violas different from violins.

(A) Viola strings are thicker than the strings of violins. So, viola players use their hands differently, and they play with a special kind of bow.

(B) For example, they are bigger than violins. A full-size viola is about three centimeters longer than a violin. This is the most obvious difference, but the strings of these two instruments are different too.

(C) Also, their sheet music looks different. Music written for the viola starts with a different symbol than music for the violin. The viola is the only string instrument that uses this symbol.

① (A) – (C) – (B)
② (B) – (A) – (C)
③ (B) – (C) – (A)
④ (C) – (A) – (B)
⑤ (C) – (B) – (A)

독해력 PLUS 미니 문제

Q1 윗글의 주제로 적절한 것을 고르세요.

① the differences between violins and violas
② how to play violins and violas

Q2 문단 (B)의 they가 가리키는 것을 찾아 쓰세요.

____

Words

viola 명 비올라(바이올린류의 현악기) musical instrument 악기 string 명 현, 줄 thick 형 두꺼운 bow 명 활 full-size 형 표준 크기의, 축소하지 않은 obvious 형 분명한, 명백한 sheet music 악보 music 명 악보, 음악

3 주어진 글 (A)에 이어질 내용을 순서에 맞게 배열한 것으로 가장 적절한 것은?

(A)

A boy really wanted a pet dog, so he asked his parents for one. "Taking care of a dog is hard work," his dad said. "Before we adopt one, look after this plant for a month instead."

(B)

The family went to check on it and saw that it was almost dead. The boy was disappointed with himself. He realized that he needed to become more responsible to take care of a pet.

(C)

He promised to do it. "This will be easy!" he said. During the first week, he remembered to water his plant every day. However, over time, he began to forget about his plant.

(D)

At the end of the month, the boy's parents asked him how the plant was. "Oh no!" he said. "I completely forgot about it!"

① (B) – (D) – (C)
② (C) – (B) – (D)
③ (C) – (D) – (B)
④ (D) – (B) – (C)
⑤ (D) – (C) – (B)

독해력 PLUS 미니 문제

Q1 윗글에서 소년이 깨달은 것을 한 문장으로 찾아 쓰세요.

문장: ______________________

해석: ______________________

Q2 윗글의 내용과 일치하지 않는 것을 고르세요.

① 소년의 아버지는 소년이 부탁한 다음 날 강아지를 데리고 왔다.
② 한 달이 끝날 때쯤 소년의 부모님은 소년에게 식물이 잘 있는지 물었다.

Words

take care of ~을 돌보다 adopt 동 입양하다 look after ~을 보살피다, 돌보다 almost 부 거의 disappointed 형 실망한 realize 동 깨닫다, 알아채다 responsible 형 책임감 있는 completely 부 완전히

4 주어진 글 다음에 이어질 글의 순서로 가장 적절한 것을 고르시오.

> Most likely to occur in places where earthquakes are common—especially the Pacific Ocean or the Caribbean—tsunamis are a dangerous form of natural disaster.

(A) Once they arrive at the shore, they cause a great amount of damage to local communities. The waves easily destroy roads and tear down seaside buildings because of their incredible size and power.

(B) As the big waves approach shallow waters along the coast, they grow to a great height. They can be more than 20 meters tall, and they can move as fast as a jet plane.

(C) They begin when an earthquake moves the ocean floor. This movement creates huge waves that go in every direction.

① (A) – (C) – (B)
② (B) – (A) – (C)
③ (B) – (C) – (A)
④ (C) – (A) – (B)
⑤ (C) – (B) – (A)

독해력 PLUS 미니 문제

Q1 윗글의 주제로 적절한 것을 고르세요.

① formation and effects of a tsunami
② ways to prepare for tsunami

Q2 윗글의 내용을 토대로, 쓰나미에 관한 아래 문장을 우리말로 완성하세요.

쓰나미는 1 ____________ 이 2 ____________ 를 움직여 3 ____________ 파도를 발생시키면서 만들어진다.
이 파도가 해안을 따라 있는 4 ____________ 물로 다가오면서 아주 높이 커진다.

Words

earthquake 명 지진 tsunami 명 쓰나미, 지진 해일 natural disaster 자연재해 shore 명 해안, 해변 local 형 지역의 destroy 동 파괴하다
tear down 무너뜨리다 incredible 형 엄청난 wave 명 파도, 파동 shallow 형 얕은 coast 명 해안 height 명 높이 ocean floor 해저

글을 구성하는 문장들은 모두 하나의 주제를 다루고, 서로 밀접하게 연결되어 있어야 해요. 주제를 벗어난 문장이 나오거나 연결에 필요한 문장이 빠져 있으면 맥락이 어색해져요. 이때 불필요한 문장은 빼고 필요한 문장은 넣음으로써 글의 맥락을 바로잡을 수 있어요.

❶ 중심 소재가 포함되어 있더라도 주제에서 벗어난 문장은 글의 통일성을 해쳐요.

When students are planning to study, it is important to know which type of learners they are. Some students learn better when they listen to something rather than reading a text. (주제에서 벗어난 문장) Teachers should not give students too much homework at a time. Other students may do better when they speak out instead of quietly writing down notes.

학생들이 공부하려고 계획 중일 때, 그들이 어떤 유형의 학습자인지를 아는 것은 중요하다. 몇몇 학생들은 글을 읽는 것보다 뭔가를 들을 때 더 잘 학습한다. 선생님들은 학생들에게 한 번에 너무 많은 숙제를 주어서는 안 된다. 다른 학생들은 조용히 필기하는 것보다 소리 내어 말할 때 더 학습을 잘 할 수도 있다.

주제는 '학생들은 자신이 어떤 유형의 학습자인지 알아야 한다'예요. 그런데 밑줄 친 문장은 중심 소재인 students가 포함되어 있지만, 선생님들이 한 번에 너무 많은 숙제를 주면 안 된다는 내용은 주제에서 벗어나요. 따라서 흐름과 관계없는 문장이에요.

❷ they, this 등 무언가를 가리키는 연결 고리가 나오면 앞에 그것이 가리키는 대상이 있어야 해요.

Collecting as a hobby can benefit us in many ways. Most of all, it teaches people responsibility. A man who collects old books will put more effort into keeping his house dry to make sure the books are well preserved. **They** can share useful information about your collections with you.

취미로서의 수집은 많은 면에서 우리에게 이롭다. 무엇보다도, 그것은 사람들에게 책임감을 가르쳐 준다. 오래된 책을 모으는 남자는 책들이 잘 보존되는 것을 확실히 하도록 그의 집을 건조하게 유지하는 데 많은 노력을 들일 것이다. 그들은 당신의 수집품에 대한 유용한 정보를 당신과 공유할 수 있다.

주제는 '수집하는 취미가 주는 이점'이에요. 그런데 마지막 문장에서 They라는 연결 고리가 갑자기 나왔는데, 이것이 가리키는 대상이 앞에 나온 books가 되기에는 글의 흐름이 어색하네요. 앞에 In addition, collecting helps you meet new friends(게다가, 수집은 당신이 새 친구들을 만나도록 도와준다.)와 같은 문장이 들어간다면 They가 new friends를 가리키게 되면서 글의 흐름이 자연스러워져요.

기출로 확인하기

정답 및 해설 p.23

지문듣기

다음 글에서 전체 흐름과 관계 없는 문장은? <모의>

According to Marguerite La Caze, fashion contributes to our lives and provides a medium for us to develop and exhibit important social virtues. ① Fashion may be beautiful, innovative, and useful; we can display creativity and good taste in our fashion choices. ② And in dressing with taste and care, we represent both self-respect and a concern for the pleasure of others. ③ There is no doubt that fashion can be a source of interest and pleasure which links us to each other. ④ Although the fashion industry developed first in Europe and America, today it is an international and highly globalized industry. ⑤ That is, fashion provides a sociable aspect along with opportunities to imagine oneself differently — to try on different identities.

* virtue: 가치

독해력 PLUS 해석 노트

윗글의 해석을 완성해가며 글을 이해해 봅시다.

Marguerite La Caze(마거리트 라 카제)에 따르면, 1 ____________은 우리의 삶에 기여하고 우리가 중요한 2 ____________ 가치를 3 ____________하고 나타내는 수단을 4 ____________한다. ① 패션은 아름답고 5 ____________이며 유용할 수 있다; 우리는 패션에 관한 6 ____________에 있어서 7 ____________과 좋은 취향을 드러낼 수 있다. ② 그리고 감각 있고 신중하게 옷을 입는 것에서, 우리는 8 ____________과 타인의 즐거움에 대한 9 ____________ 둘 다를 보여준다. ③ 패션이 우리를 서로와 10 ____________해 주는 흥미와 즐거움의 11 ____________이 될 수 있다는 것에는 의심할 여지가 없다. ④ 12 ____________ 패션 13 ____________이 유럽과 미국에서 처음 14 ____________, 오늘날 그것은 15 ____________이고 매우 세계화된 산업이다. ⑤ 다시 말해, 패션은 자신을 다르게 16 ____________하는, 즉, 다른 17 ____________들을 시도해보는 기회와 더불어 18 ____________인 측면을 제공한다.

Words

contribute 동 기여하다 medium 명 수단, 매체 exhibit 동 나타내다, 전시하다 innovative 형 혁신적인 display 동 드러내다 taste 명 감각, 취향 self-respect 명 자아 존중 concern 명 관심 source 명 원천 sociable 형 사교적인 aspect 명 측면, 양상 identity 명 정체성

독해 원리 6 적용 Practice

1 다음 글에서 전체 흐름과 관계 없는 문장은?

Many parents these days feel pressure to educate their children as early as possible. It seems like teaching them how to read is one of their biggest jobs. ① But parents should remember that teaching children to read is much easier when this activity seems fun. ② For example, if kids like drawing, their parents could ask them to draw one of the scenes from a book. ③ In addition, kids will enjoy reading more if they have the chance to choose books on their favorite topics. ④ Books for young children are usually made of soft paper so that they won't get paper cuts. ⑤ By using these methods, parents will soon find their kids by the bookshelf on their own.

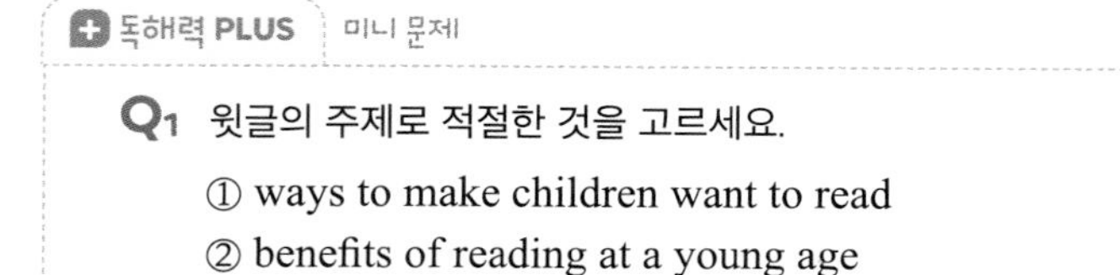

독해력 PLUS 미니 문제

Q1 윗글의 주제로 적절한 것을 고르세요.

① ways to make children want to read
② benefits of reading at a young age

Q2 ⑤의 these methods가 가리키는 내용이 포함된 문장의 번호를 쓰세요. (2개)

____

Words

pressure 명 부담, 압박 educate 동 교육하다, 가르치다 scene 명 장면 chance 명 기회, 가능성 favorite 형 (특히) 좋아하는 be made of ~로 만들어지다 cut 명 베임, 베인 상처 동 베다 method 명 방법 bookshelf 명 책장, 책꽂이

2 글의 흐름으로 보아, 주어진 문장이 들어가기에 가장 적절한 곳을 고르시오.

지문듣기

However, they act differently when others enter, simply moving over to the nearby corners.

Sometimes, we show what we are thinking or feeling through facial expressions and body posture. In fact, almost 70 percent of the information that we share with each other is not spoken. (①) This kind of communication is called body language. (②) One famous example of body language is easily found in elevators. (③) When there's no one else around, people feel comfortable enough to stand wherever they want in the elevator. (④) They are sending a message that they don't want the others to be close to them. (⑤) In situations such as this, understanding body language can be helpful.

* posture: 자세

독해력 PLUS 미니 문제

Q1 윗글의 중심 소재를 찾아 두 단어의 영어로 쓰세요.

____

Q2 주어진 문장에서 글의 흐름에 변화를 주는 연결 고리를 쓰세요.

____

Words

enter 동 들어오다, 들어가다 nearby 형 가까운, 근처의 expression 명 표정, 표현 share 동 나누다, 공유하다 communication 명 의사소통
send 동 전달하다, 보내다

3 다음 글에서 전체 흐름과 관계 없는 문장은?

The Mediterranean diet, which developed in countries like Greece and Italy, can help prevent heart disease and other illnesses. It is based on ingredients that keep the body healthy and strong. ① For example, the Mediterranean diet includes lots of whole grains, vegetables, and seeds, but only a limited amount of meat. ② Fish and chicken are allowed, but red meat and sugar are rarely used. ③ High-quality fats are also an important part of the diet because they lower the risk of getting certain diseases. ④ The Mediterranean diet excludes foods from other cultures that have the same nutrients. ⑤ As healthy fats are found in olive oil and nuts, these ingredients are quite often used to make Mediterranean dishes.

독해력 PLUS 해석 노트

윗글의 해석을 완성해가며 글을 이해해 봅시다.

그리스와 이탈리아와 같은 국가들에서 [1]________한 지중해식 [2]________은, 심장 질환과 다른 [3]________들을 [4]________하는 것을 도울 수 있다. 그것은 몸을 건강하고 튼튼하게 [5]________시켜 주는 [6]________들을 기반으로 한다. ① [7]________, 지중해식 식단은 많은 통곡물, 채소 그리고 [8]________을 포함하되, [9]________는 [10]________ 양만 포함한다. ② 생선과 닭고기는 [11]________되지만, 붉은 살코기나 당류는 거의 쓰이지 않는다. ③ 질 좋은 지방질 역시 이 식단의 중요한 부분인데, 왜냐하면 그것은 특정 질병들에 걸릴 [12]________을 [13]________ 때문이다. ④ 지중해식 식단은 [14]________ 영양분을 함유하고 있는 다른 [15]________들에서 온 음식을 [16]________한다. ⑤ 올리브 오일이나 견과류에서 건강한 지방질이 발견되기 [17]________, 이 재료들은 지중해식 [18]________를 만드는 데 꽤 자주 사용된다.

Words

Mediterranean 형 지중해의 diet 명 식단 develop 동 발달하다 illness 명 질병 ingredient 명 재료 whole grain 통곡물(껍질을 벗기지 않은 곡물) limited 형 제한된, 한정된 lower 동 낮추다 risk 명 위험 exclude 동 배제하다, 제외하다 nutrient 명 영양분 dish 명 요리, 음식

4 글의 흐름으로 보아, 주어진 문장이 들어가기에 가장 적절한 곳을 고르시오.

지문듣기

As a river flows downhill from the source, it gets bigger and more powerful.

Every river looks different, but they all have something in common. The beginning of every river is called the source. It is usually a lake or melting snow on a mountain. (①) The source of the Amazon River, for example, is snow in the Andes Mountains. (②) This is because it gains more water from rain and small streams. (③) When a river becomes strong enough, it can even change the shape of the earth by moving soil and rocks. (④) The movement of these materials results in the creation of valleys and canyons. (⑤) A notable example of this is the Grand Canyon in the United States.

독해력 PLUS 미니 문제

Q1 윗글의 주제로 적절한 것을 고르세요.

① movement of rocks in the river
② birth and growth of a river

Q2 ④ 뒤 문장의 these materials가 가리키는 것을 윗글에서 찾아 세 단어로 쓰세요.

____

Words

downhill 부 아래쪽으로 source 명 수원(물이 흘러나오는 근원) gain 동 얻다 stream 명 개울, 시내 earth 명 지면, 땅 soil 명 흙, 토양
movement 명 이동 material 명 물질 creation 명 형성 valley 명 계곡 canyon 명 협곡 notable 형 유명한

Chapter Test

1

다음 글에서 전체 흐름과 관계 없는 문장은?

지문듣기

Most people assume that rainwater is not safe to drink. If people are careful about how they collect it, though, it is usually fine to consume. ① The most important thing is what rainwater touches before it is collected. ② If it has touched manmade structures, such as buildings or pipes, people should avoid drinking it because it has probably absorbed toxic chemicals. ③ Architects should think about using proper materials for construction since rainwater is able to damage buildings. ④ In addition, rainwater that hits the ground can include bacteria that are harmful to people's health. ⑤ However, if rainwater falls directly into a clean container without touching anything, it is generally safe to drink.

* toxic: 독성의

Words

assume 동 생각하다, 추측하다 consume 동 섭취하다 touch 동 닿다, 접촉하다 manmade 형 인공의 structure 명 구조물 absorb 동 흡수하다 chemical 명 화학 물질 architect 명 건축가 proper 형 적합한, 적절한 construction 명 건설 directly 부 바로, 곧장 container 명 용기

2 글의 흐름으로 보아, 주어진 문장이 들어가기에 가장 적절한 곳을 고르시오.

지문듣기

The hands are another place to find hints that someone is not telling the truth.

If you say that you never lie, then you are probably a liar. Psychologists have found that most people lie at least once every 10 minutes. (①) Since people tell lies so often, it would be useful to know how to identify a liar. (②) One place to look for signs that someone is lying is their face. (③) We're pretty good at managing our body language, but there are some muscles in the face that we just can't control. (④) For example, it's hard to use the tiny muscles that make us smile when there is no real emotion. (⑤) Lying is stressful, so people often put their hands on their face or hair to stay calm.

Words

truth 명 진실 liar 명 거짓말쟁이 psychologist 명 심리학자 at least 적어도, 최소 identify 동 식별하다, 알아내다 manage 동 조절하다 muscle 명 근육 tiny 형 아주 작은 emotion 명 감정

3

주어진 글 다음에 이어질 글의 순서로 가장 적절한 것을 고르시오.

지문듣기

There is an interesting fact about broccoli. If we searched in the right places, we could easily find mushrooms, onions, and other foods growing in the wild, but not broccoli.

(A) It didn't taste very good, but it produced small flowers that people liked to eat. Moreover, it wasn't hard to grow the cabbage, so people started to reproduce the ones that had the largest flowers.

(B) This practice continued for a long time, and the cabbage changed a lot. Eventually, it became the vegetable we now call broccoli.

(C) Broccoli wouldn't be found anywhere in nature because humans invented it. The history of broccoli actually started with a cabbage plant that grew in Southern Europe.

① (A) – (C) – (B)
② (B) – (A) – (C)
③ (B) – (C) – (A)
④ (C) – (A) – (B)
⑤ (C) – (B) – (A)

Words

mushroom 명 버섯 produce 동 (열매 등을) 맺다 cabbage 명 양배추 reproduce 동 번식시키다 practice 명 관행, 관습 invent 동 만들다, 발명하다 southern 형 남부의, 남쪽의

정답 및 해설 p.25

4

지문듣기

주어진 글 (A)에 이어질 내용을 순서에 맞게 배열한 것으로 가장 적절한 것은?

(A)

Kate had a sister who always wanted to be with her. Every day, she would ask, "Can you play with me?" But Kate often said no because she was busy.

(B)

She realized how much her sister loved her. Kate went to her sister. "I thought you were leaving" she said. Kate hugged her tight and whispered that she would spend more time with her.

(C)

Before leaving, she went to grab her purse from the table. There was a drawing lying there with the title "Me and My Hero." It was a picture of her and her sister holding hands.

(D)

One day, Kate was leaving the house to see her friends. "Do you want to play with me?" her sister asked. "I'm sorry but I have plans," she replied.

① (B) – (D) – (C)
② (C) – (B) – (D)
③ (C) – (D) – (B)
④ (D) – (B) – (C)
⑤ (D) – (C) – (B)

Words

tight 부 꽉, 세게 whisper 동 속삭이다 leave 동 떠나다, 출발하다 purse 명 지갑 lie 동 놓여 있다 hold 동 잡다, 쥐다

5

지문듣기

다음 글에서 전체 흐름과 관계 없는 문장은?

Environmental pollution comes in many forms, and its effects on animals are widely known. Among these forms, light pollution has become a serious concern because it has a particularly negative impact on birds. ① Some birds use the position of the moon and the patterns of the stars as a map while they fly. ② So, when they see artificial lights from the city during nighttime flight, they become confused. ③ They can have a hard time finding the right direction, and sometimes they even crash into buildings. ④ Many birds fly in large groups since it is much safer than traveling alone. ⑤ Unfortunately, millions of birds around the world lose their lives every year because of this.

Words

environmental 형 환경의 pollution 명 오염, 공해 form 명 유형, 형태 concern 명 걱정거리, 우려 particularly 부 특히 position 명 위치
artificial 형 인공의 confused 형 혼란스러워하는 crash 동 충돌하다, 붕괴하다 unfortunately 부 안타깝게도, 불행하게도

6 글의 흐름으로 보아, 주어진 문장이 들어가기에 가장 적절한 곳을 고르시오.

지문듣기

> For example, they might give a competitive exam and accept any student who passes, regardless of their socioeconomic background.

Magnet schools are an important part of the American education system. They take their name from the way that they attract talented students from every background, just like magnets. (①) Each magnet school offers a specialized program that focuses on a particular subject, such as science or art. (②) As these schools are free to attend and provide an excellent educational environment, many parents want to send their children to one. (③) So, magnet schools use various methods to select new students fairly. (④) This test can help ensure there is diversity in the school setting. (⑤) Their goal is to provide every talented child with the opportunity to achieve success in life.

Words

competitive 형 경쟁의 regardless of ~과 상관없이 socioeconomic 형 사회 경제적인 attract 동 끌어들이다 specialized 형 전문화된, 특수한 particular 형 특정한 subject 명 과목, 주제 attend 동 다니다 diversity 명 다양성 talented 형 재능 있는 achieve 동 쟁취하다, 달성하다

7

주어진 글 다음에 이어질 글의 순서로 가장 적절한 것을 고르시오.

지문듣기

> Gestalt psychology studies human perception. It suggests that we tend to focus on a thing as a whole rather than the individual parts of it.

(A) In many other situations, our minds look for meaning through patterns rather than the individual parts of the things. It's how we understand the world around us.

(B) For example, when we read a book, we often see the words (such as *forest*) as whole things. We usually don't pay attention to the letters (*f, o, r, e, s*, or *t*) that compose them.

(C) The reason that we notice those words as a whole is that they have meaning. Even though each letter is a unique unit, they do not mean anything to us on their own.

* perception: 인지, 지각

① (A) – (C) – (B)
② (B) – (A) – (C)
③ (B) – (C) – (A)
④ (C) – (A) – (B)
⑤ (C) – (B) – (A)

Words

suggest 동 시사하다, 암시하다 whole 명 전체 형 전체의 individual 형 개별적인 pattern 명 패턴, 규칙 letter 명 글자, 문자 compose 동 구성하다 unique 형 독자적인, 고유의 unit 명 단위 mean 동 의미하다

정답 및 해설 p.25

8 주어진 글 (A)에 이어질 내용을 순서에 맞게 배열한 것으로 가장 적절한 것은?

지문듣기

(A)

A student wished she was a teacher. She thought teachers didn't have to study hard, so it would be fun to be one. To see if she was right, she went to her teacher and asked, "Ms. Kelly, can you show me what your job is like?"

(B)

The student helped her sort the papers, but it wasn't easy. As they worked, other students also came up to talk to the teacher. While she was talking, her phone rang, so she quickly left to answer it.

(C)

"Sure," she replied. The student was excited and followed her. The teacher took out some papers. "These are the materials for this week, and I need to organize them today."

(D)

The teacher didn't relax once. "This is hard work," the student thought. She suddenly felt thankful for everything her teacher did for students.

① (B) – (D) – (C)
② (C) – (B) – (D)
③ (C) – (D) – (B)
④ (D) – (B) – (C)
⑤ (D) – (C) – (B)

Words

right 형 옳은, 올바른 sort 동 분류하다 take out 꺼내다, 내놓다 material 명 자료 organize 동 정리하다, 분류하다 once 부 한 번(도)

Chapter 4

비교하며 읽기

기초 쌓기 | 비교할 정보 찾기
독해 원리 7 | 도표와 문장 비교하기
독해 원리 8 | 문장과 문장 비교하기
Chapter Test

기초 쌓기

비교할 정보 찾기

세부 정보들이 나열된 글은 처음부터 끝까지 꼼꼼하게 읽기보다는 필요한 정보만 확인하며 읽는 것이 효율적이에요. 비교할 정보를 선택지에서 먼저 파악한 후, 글에서 그 정보가 언급되어 있는 곳을 찾아서 일치 여부를 확인해요.

[선택지] 영어 점수는 국어 점수보다 10점 더 높다.

찾아야 할 정보1 (영어 점수) / 찾아야 할 정보2 (국어 점수)

[글]

과목	영어	수학	국어
점수	90	70	80

비교 (90 ↔ 80)

찾아야 할 정보: 내가 글에서 확인해야 할 정보는 무엇일까?

글과 함께 제시되는 선택지들에 우리가 글의 내용과 비교할 정보가 담겨 있어요. 따라서 각 선택지가 다루는 정보를 먼저 파악한 다음, 글에서 그 정보를 찾아가는 식으로 읽으면 시간을 아낄 수 있어요. 선택지에 언급된 항목이나 고유명사, 또는 숫자는 주요 정보가 돼요.

> 주어진 선택지는 영어 점수와 국어 점수라는 항목을 다루고 있군요.

글과 정보 비교: 선택지의 정보가 글의 내용과 일치하는가?

하나의 선택지가 다루는 정보를 파악했으면, 바로 글에서 그 정보를 찾아 두 내용을 비교해요. 이렇게 선택지들을 하나씩 글의 내용과 비교하면서 읽어요. 이때 선택지에서 파악한 항목이나 고유명사, 또는 숫자를 글에서 먼저 찾으면 더 효율적으로 비교할 수 있어요.

> 주어진 표(글)에서 각 항목의 수치들을 찾으면 되겠어요. 영어가 90점, 국어는 80점이니 선택지와 글의 내용이 일치하네요.

정답 및 해설 p.29

주어진 글과 선택지를 먼저 읽고, 친구들의 대화를 통해 필요한 정보를 찾아 비교하는 과정을 살펴볼까요?

Daytona Rock-Climbing Club

Daytona Rock-Climbing Club is looking for new members. Come and join us!

Ⓐ **Date:** January 5 – January 9

Ⓑ **Place:** Daytona Middle School Gym

Ⓒ **What we offer:**
- Free rock-climbing equipment
- Basic climbing skill coaching

Ⓓ **What to bring:** Student ID, Application

① 회원 모집은 7일간 진행된다.

② 학생증을 가져가야 한다.

명호

선택지 ①은 기간에 대한 정보를 다루고 있으니 날짜가 써 있는 곳을 먼저 보는 것이 좋겠어.

민정

맞아, Ⓐ Date에 제시된 기간을 계산해볼까? 회원 모집은 1월 5일부터 9일까지니까 5일 동안 진행돼. 따라서 ①은 일치하지 않는 설명이야.

진우

선택지 ②은 가져갈 것에 대해 말하고 있으니 Ⓓ What to bring 부분을 먼저 봐야겠군. Student ID를 가져오라고 했으니 ②은 글의 내용과 일치해.

Let's Try

1 다음 문장에서 다루는 정보를 찾을 수 있는 문장을 글에서 고르세요.

그의 소설 Moby Dick은 걸작으로 여겨진다.

[A] American writer, Herman Melville was born August 1, 1819, in New York. [B] He wrote 11 novels, as well as a number of short stories and poems during his long career. [C] His most popular work is the novel *Moby Dick*, which is widely considered to be his masterpiece.

① [A] ② [B] ③ [C]

2 다음 문장에서 다루는 정보를 찾을 수 있는 항목을 표에서 고르세요.

The amount of grain production in 2015 decreased from the previous year.

Year	2013	2014	2015
Grain Production	[A] 55t	[B] 60t	[C] 58t

① [A], [B] ② [B], [C] ③ [A], [C]

수능 독해에는 그래프나 표와 같은 시각 자료와 함께 출제되는 문제가 있어요. 이 문제를 풀 때는 시각 자료의 내용과 그 아래에 함께 제시되는 영어 선택지를 비교하며 읽을 거예요. 선택지에 자주 등장하는 비교 표현들을 익혀 두면 더 쉽게 비교할 수 있어요.

❶ 선택지는 도표에 나온 항목들의 수치를 비교하는 내용을 다뤄요.

Key Factors Influencing Movie Choices in Korea

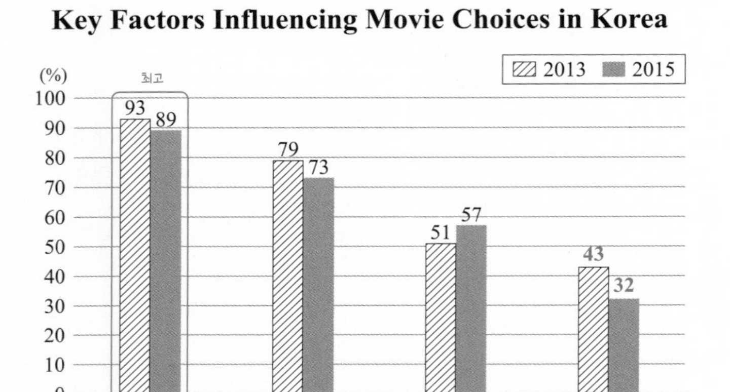

① In both 2013 and 2015, the rates for "Storyline" were **the highest** of the four key factors.

② In the case of "Director," it influenced **more than** 50 percent of the respondents in both years. <모의응용>

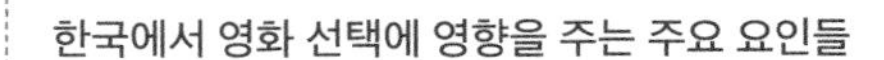

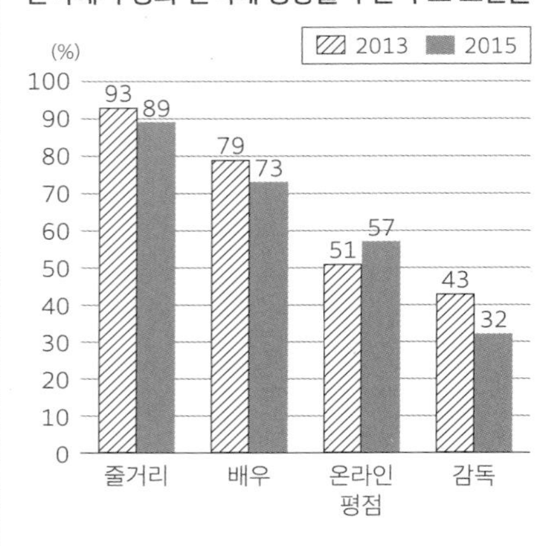

① 2013년과 2015년 모두, '줄거리'에 대한 비율은 네 가지 주요 요인들 중 가장 높았다.

② '감독'의 경우, 두 해 모두 50퍼센트보다 많은 응답자들에게 영향을 주었다.

① Storyline 항목과 비교하면 되겠군요. 2013년과 2015년 수치는 각각 93퍼센트와 89퍼센트로 네 가지 주요 요인들 중 가장 높으므로 the highest라고 한 것은 도표의 내용과 일치해요.

② Director 항목과 비교하면 되겠군요. 두 해 각각 43퍼센트와 32퍼센트네요. 이것은 선택지에서 이야기한 50퍼센트보다 작기 때문에 more than이 아니라 less than이라고 해야 일치하는 내용이 돼요.

❷ 비교 표현이 잘못 쓰인 선택지가 정답인 경우가 많으므로, 다양한 표현을 알아 두는 것이 좋아요.

수치를 비교하는 표현	higher than ~보다 높은 — lower than ~보다 낮은 the same as A A와 같은	more than ~보다 많은 — less than ~보다 적은 the gap between A and B A와 B의 차이
최고·최저를 나타내는 표현	the highest 가장 높은 — the lowest 가장 낮은 the most 가장 ~한 — the least 가장 덜 ~한	the largest 가장 큰 — the smallest 가장 작은
증가·감소를 나타내는 표현	increase 증가하다 — decrease 감소하다	rise 증가하다 — fall 감소하다

정답 및 해설 p.29

다음 도표의 내용과 일치하지 않는 것은? <모의응용>

지문듣기

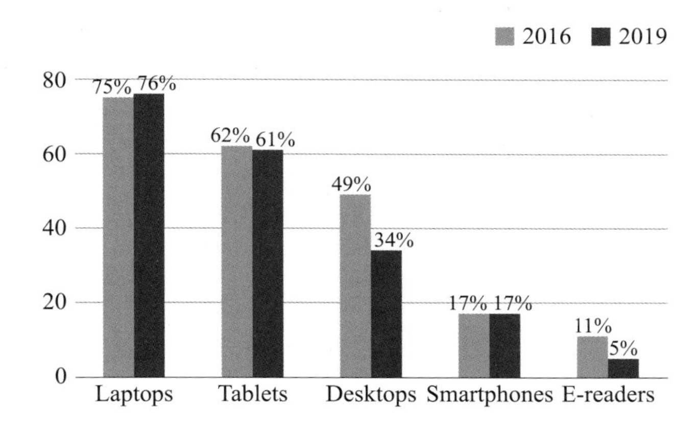

The above graph shows the percentage of students from kindergarten to 12th grade who used devices to access digital educational content in 2016 and in 2019. ① Laptops were the most used device for students to access digital content in both years. ② Both in 2016 and in 2019, more than 6 out of 10 students used tablets. ③ More than half the students used desktops to access digital content in 2016. ④ The percentage of smartphones in 2016 was the same as that in 2019. ⑤ E-readers ranked the lowest in both years, with 11 percent in 2016 and 5 percent in 2019.

독해력 PLUS 미니 문제

Q1 윗글의 선택지 ① 문장을 해석하세요.

____

Q2 정답 선택지에서 틀린 비교 표현을 바르게 고치세요.

______________ → ______________

Words

device 명 기기 access 동 접근하다, 이용하다 laptop 명 노트북 e-reader 명 전자책 단말기 kindergarten 명 유치원 educational 형 교육의 A out of B B 중 A, B분의 A half 명 절반, 반

1 다음 도표의 내용과 일치하지 않는 것은?

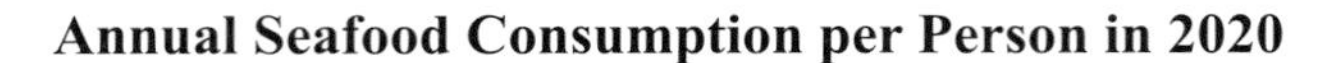

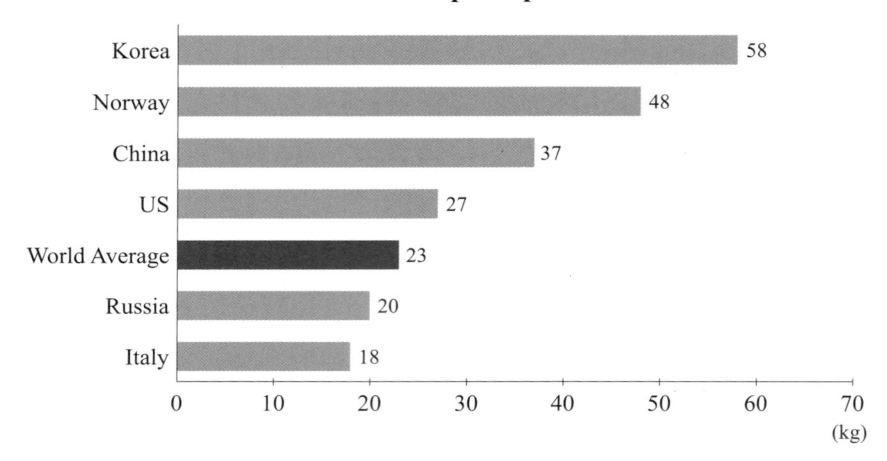

The graph above shows the annual seafood consumption per person in six countries in 2020. ① The annual seafood consumption in Korea was the highest, followed by Norway. ② The amount of seafood consumed in Norway was more than twice that of the world average. ③ The gap between the amounts of seafood consumed in China and the US was 10 kilograms. ④ The combined amount of seafood consumed in Russia and Italy was less than the amount of seafood consumed in China. ⑤ Among the given countries, annual seafood consumption in Italy ranked the lowest at 18 kilograms.

독해력 PLUS 미니 문제

Q1 도표의 내용을 토대로 다음에 해당하는 수치를 쓰세요.

(1) twice the amount of world average → ________ kg

(2) the gap between the amount of seafood consumed in China and the US → ________ kg

(3) the combined amount of seafood consumed in Russia and Italy → ________ kg

Q2 정답 선택지에서 틀린 비교 표현을 바르게 고치세요.

____________ → ____________

Words

annual 형 연간의, 매년의 seafood 명 해산물 consumption 명 소비(량) per 전 ~당, ~마다 average 명 평균 형 평균의 follow 동 뒤를 잇다, 따라가다 amount 명 양 rank 동 (순위를) 차지하다

2 다음 도표의 내용과 일치하지 않는 것은?

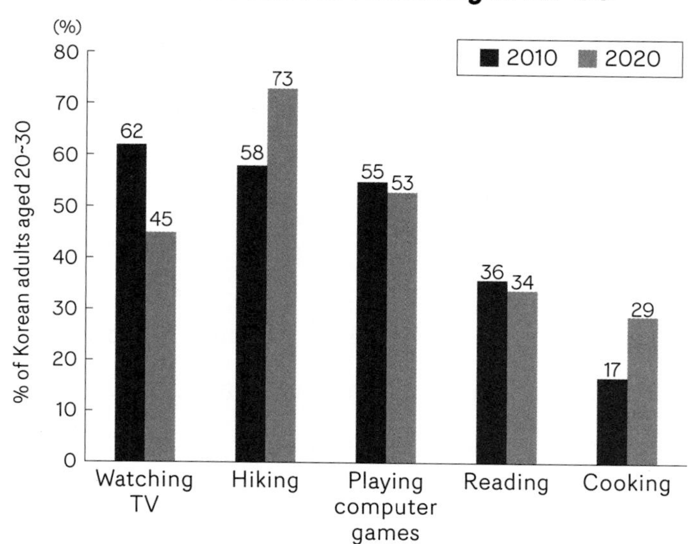

The above graph shows the hobbies of Korean adults aged 20 to 30 in 2010 and 2020. ① Watching TV was the most popular hobby in 2010, at 62 percent. ② In 2020, more than 7 out of 10 respondents enjoyed hiking, which was the highest among the five hobbies. ③ The percentage of respondents who liked playing computer games and reading increased from 2010 to 2020. ④ More than a third of the respondents read as a hobby both in 2010 and in 2020. ⑤ The percentage of respondents who enjoyed cooking increased by more than 10 percentage point between 2010 and 2020.

독해력 PLUS 미니 문제

Q1 윗글의 선택지 ④ 문장을 해석하세요.

____

Q2 정답 선택지에서 틀린 비교 표현을 바르게 고치세요.

______________ → ______________

Words

hiking 명 등산, 하이킹 popular 형 인기 있는 out of ~ 중에서, ~ 가운데 respondent 명 응답자

3 다음 표의 내용과 일치하지 않는 것은?

The Number of Animals in Maple Bend National Park

Animals	2010	2015
Coyotes	65	87
Pumas	38	52
Black Bears	25	41
Foxes	42	34
Moose	38	30

The above table shows the number of animals in Maple Bend National Park in 2010 and 2015. ① Coyotes had the highest population in each year, at 65 in 2010 and 87 in 2015. ② In 2010, the number of pumas was the same as that of moose, at 38. ③ The gap between the number of pumas and black bears was smaller in 2015 than in 2010. ④ Foxes and moose were the only two animals that decreased in number from 2010 to 2015. ⑤ In 2010, the combined population of black bears and moose was more than the population of coyotes.

독해력 PLUS 미니 문제

Q1 표의 내용을 토대로 다음에 해당하는 수치를 쓰세요.

(1) the number of pumas in 2010 → ____________

(2) the gap between the number of pumas and black bears in 2015 → ____________

(3) the combined population of black bears and moose in 2010 → ____________

Q2 정답 선택지에서 틀린 비교 표현을 바르게 고치세요.

________________ → ________________

Words

national park 국립 공원 coyote 명 코요테(북미 늑대의 일종) puma 명 퓨마, 아메리카표범 moose 명 무스(북미 큰 사슴) population 명 개체 수, 인구

지문듣기

4 다음 도표의 내용과 일치하지 않는 것은?

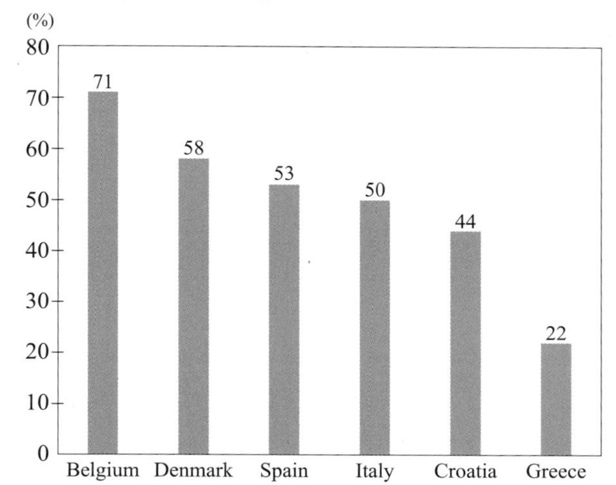

The graph above shows the percentage of the population that wears glasses in six European countries. ① Belgium shows the highest percentage among the six countries, followed by Denmark. ② The percentage of people who wear glasses in Denmark is higher than that of Spain. ③ Half of the people in Italy wear glasses, which is the second lowest percentage among the six countries. ④ The percentage of Croatia's population that wears glasses is twice as high as that of Greece. ⑤ Less than 30 percent of the people in Greece wear glasses.

독해력 PLUS 해석 노트

윗글의 해석을 완성해가며 글을 이해해 봅시다.

위 그래프는 6개의 유럽 국가들의 1__________을 2__________ 인구의 비율을 보여 준다. ① 벨기에는 6개 국가 중에서 3__________ 비율을 보여 주고, 덴마크가 4______________. ② 덴마크에서 안경을 쓰는 사람들의 비율은 스페인의 그것보다 5__________. ③ 이탈리아 사람들 6__________이 안경을 쓰는데, 이것은 6개 국가들 중 7__________로 가장 낮은 비율이다. ④ 안경을 쓰는 크로아티아 8__________의 비율은 그리스의 그것보다 9____________. ⑤ 30퍼센트보다 10__________ 그리스 사람들이 안경을 쓴다.

Words

glasses 명 안경 twice 부 두 배로 as high as ~만큼 높은

안내문이나 인물의 일대기는 선택지 문장을 글의 내용과 비교하며 읽을 거예요. 글의 내용이 전개되는 순서와 선택지 순서가 같기 때문에 선택지의 내용이 글의 어디쯤에 있을지 예상하며 읽을 수 있어요.

❶ 날짜나 비용 등의 숫자 정보는 눈에 잘 띄므로 비교할 부분을 더 쉽게 찾을 수 있어요.

2022 Mason Photo Contest

Welcome to the **fourth** annual Mason Photo Contest.

Submission

- Upload a maximum of 20 photos to www.masonphoto.org.
- Deadline is **December 1**.

Prizes

- 1st Place: $500
- **2nd Place: $200**

2022 Mason 사진 대회

제4회 Mason 사진 대회에 오신 것을 환영합니다.

제출

- www.masonphoto.org로 최대 20장의 사진을 업로드하세요.
- 마감일은 12월 1일입니다.

상금

- 1등: 500달러
- 2등: 200달러

① 매년 열리는 대회이며 올해가 세 번째이다. → 불일치(네 번째)
② 제출 마감 기한은 12월 1일이다. → 일치
③ 2등의 상금은 200달러이다. → 일치

❷ 선택지에 고유명사나 연도가 있으면 그 단어가 포함된 문장을 찾아 비교해요.

Ellen Church was born in Cresco, Iowa in 1904. After graduating from high school, she worked as a nurse in **San Francisco**. She suggested to Boeing Air Transport that nurses should take care of passengers during flights. **In 1930**, she became the first female flight attendant in the U.S. The airport in **Cresco** was named Ellen Church Field in her honor. <모의응용>

Ellen Church(엘렌 처치)는 1904년에 아이오와 주 크레스코에서 태어났다. 고등학교 졸업 후에, 그녀는 샌프란시스코에서 간호사로 일했다. 그녀는 비행 중에 간호사들이 탑승객들을 돌보아야 한다고 보잉 항공사에 제안했다. 1930년에, 그녀는 미국 최초의 여성 비행기 승무원이 되었다. 크레스코에 있는 공항은 그녀를 기리기 위해 Ellen Church Field라 이름 지어졌다.

① San Francisco에서 간호사로 일했다. → 일치
② 1930년에 비행기 승무원직을 그만두었다. → 불일치(승무원이 되었다)
③ Cresco에 그녀의 이름을 따서 붙인 공항이 있다. → 일치

기출로 확인하기

정답 및 해설 p.31

Claude Bolling에 관한 다음 글의 내용과 일치하지 않는 것은? <모의>

Pianist, composer, and big band leader, Claude Bolling, was born on April 10, 1930, in Cannes, France, but spent most of his life in Paris. He began studying classical music as a youth. He was introduced to the world of jazz by a schoolmate. Later, Bolling became interested in the music of Fats Waller, one of the most excellent jazz musicians. Bolling became famous as a teenager by winning the Best Piano Player prize at an amateur contest in France. He was also a successful film music composer, writing the music for more than one hundred films. In 1975, he collaborated with flutist Rampal and published *Suite for Flute and Jazz Piano Trio*, which he became most well-known for. He died in 2020, leaving two sons, David and Alexandre.

① 1930년에 프랑스에서 태어났다.
② 학교 친구를 통해 재즈를 소개받았다.
③ 20대에 Best Piano Player 상을 받았다.
④ 성공적인 영화 음악 작곡가였다.
⑤ 1975년에 플루트 연주자와 협업했다.

독해력 PLUS 미니 문제

Q1 선택지 ②의 근거가 되는 문장을 윗글에서 찾아 쓰고 해석하세요.

문장: ______________________________

해석: ______________________________

Q2 선택지 ③의 근거가 되는 문장을 윗글에서 찾아 쓰고 해석하세요.

문장: ______________________________

해석: ______________________________

Words

composer 명 작곡가 introduce 동 접하게 하다, 소개하다 schoolmate 명 학교 친구 teenager 명 10대, 청소년 amateur 명 아마추어, 비전문가
collaborate 동 협업하다 flutist 명 플루트 연주자 publish 동 발매하다, 발표하다 suite 명 모음곡

적용 Practice

1 Book Cover Design Contest에 관한 다음 안내문의 내용과 일치하지 않는 것은?

Book Cover Design Contest

Harperian Publishing is holding a book cover design contest. Share your talents!

Category: children's novel
(the story of a young girl who becomes friends with a talking bear)

Deadline: November 4

Details:
- Only one entry is allowed per participant.
- Black-and-white designs will not be accepted.
- The winners will be announced on December 16.

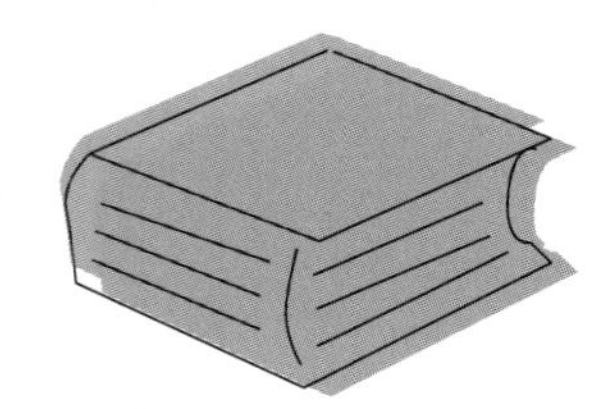

Prizes:
- Grand prize of $500 for the winning entry
- $100 for 2nd place and $50 for 3rd place

For more information or to register, visit us at www.harperian.com/contest.

① 분야는 아동 소설이다.
② 제출 마감일은 11월 4일이다.
③ 작품은 개인당 두 개까지 제출할 수 있다.
④ 수상자들은 12월 16일에 발표된다.
⑤ 3등 수상자에게는 50달러를 준다.

독해력 PLUS 미니 문제

Q1 각 선택지의 내용을 확인할 수 있는 항목에 동그라미 하세요.
① Category / Deadline / Details / Prizes
② Category / Deadline / Details / Prizes
③ Category / Deadline / Details / Prizes
④ Category / Deadline / Details / Prizes
⑤ Category / Deadline / Details / Prizes

Q2 선택지 ③의 근거가 되는 문장을 윗글에서 찾아 쓰고 해석하세요.
문장: ______________________
해석: ______________________

Words

cover 명 표지 publishing 명 출판 hold 동 개최하다, 열다 talent 명 재능 entry 명 출품작 allow 동 허용하다, 허락하다 participant 명 참가자 accept 동 인정하다, 받아 주다 grand prize 우승 상금

2 Janet Guthrie에 관한 다음 글의 내용과 일치하지 않는 것은?

Janet Guthrie, an American race-car driver, was born in 1938. Her family moved to Florida when she was three. At the age of seventeen, she earned a pilot's license. After graduating from the University of Michigan in 1960, Guthrie worked as an aerospace engineer. However, she became interested in sports cars as a hobby. In 1972, she decided to race cars as a professional. During the 1970s, she became the first woman to compete in several major car races, such as the Daytona 500. In 1980, she was admitted into the Women's Sports Hall of Fame. Her autobiography was published in 2005.

① 3세 때 가족과 함께 Florida로 이주했다.
② 17세에 비행 조종사 면허를 얻었다.
③ 1972년에 자동차 경주를 취미로 계속하려 했다.
④ Daytona 500에 참가했던 최초의 여성이었다.
⑤ 자서전이 2005년에 출간되었다.

독해력 PLUS 미니 문제

Q1 선택지 ①의 근거가 되는 문장을 윗글에서 찾아 쓰고 해석하세요.

문장: ______________________________

해석: ______________________________

Q2 선택지 ③의 근거가 되는 문장을 윗글에서 찾아 쓰고 해석하세요.

문장: ______________________________

해석: ______________________________

Words

earn 동 얻다, 받다 license 명 면허, 자격 aerospace 형 항공 우주의 engineer 명 공학자 professional 명 프로 선수 compete 동 참가하다, 경쟁하다 major 형 주요한 admit 동 입성시키다, 허용하다 autobiography 명 자서전

Chapter 4

해커스 첫수능 영어 기초독해

3 Madison Folk Music Festival에 관한 다음 안내문의 내용과 일치하는 것은?

Madison Folk Music Festival

Attention folk music lovers! The 10th annual Madison Folk Music Festival is coming up soon. Don't miss this incredible opportunity to see folk music legends in person!

Date & Time

- Date: Saturday, September 2
- Time: 10 a.m. – 6 p.m.

Price

- $10
- Free for kids aged 5 and under

Events

- Guitar lessons
- Live performances
- Fireworks show

※ Parking is available with reservation only.
※ In the event of rain, the festival will be postponed to September 9.

① 매년 열리는 행사이며, 올해가 네 번째이다.
② 오전 9시부터 시작한다.
③ 6세 아이는 무료로 입장할 수 있다.
④ 기타를 배우는 활동이 마련되어 있다.
⑤ 주차는 자유롭게 할 수 있다.

독해력 PLUS 미니 문제

Q1 선택지 ③의 근거가 되는 문장을 윗글에서 찾아 쓰고 해석하세요.

문장: ______________________________

해석: ______________________________

Q2 선택지 ⑤의 근거가 되는 문장을 윗글에서 찾아 쓰고 해석하세요.

문장: ______________________________

해석: ______________________________

Words

folk music 민속 음악 annual 형 연례의, 매년의 incredible 형 엄청난 opportunity 명 기회 in person 직접 performance 명 공연 firework 명 불꽃놀이 available 형 가능한, 이용할 수 있는 reservation 명 예약 in the event of ~할 경우에는

4 Cecilia Beaux에 관한 다음 글의 내용과 일치하지 않는 것은?

지문듣기

The American painter Cecilia Beaux was born in Philadelphia on May 1, 1855. Beaux was raised by her grandmother after the death of her mother. At the age of 16, she began studying art. Her first painting was exhibited in 1885. Three years later, Beaux headed to Europe to continue her art education. After returning from Europe in 1889, she worked as a teacher at the Pennsylvania Academy of Fine Arts. Then, she moved to New York and painted the portraits of many famous individuals there. She died in 1942 and is now recognized as one of the country's greatest artists.

① 어머니를 여의고 할머니 밑에서 자랐다.
② 1885년에 그녀의 첫 작품이 전시되었다.
③ 미술 교육을 더 받기 위해 유럽으로 갔다.
④ New York을 떠난 후 유명한 사람들의 초상화를 그렸다.
⑤ 미국의 가장 위대한 예술가 중 한 명으로 인정받는다.

독해력 PLUS 해석 노트

윗글의 해석을 완성해가며 글을 이해해 봅시다.

미국인 [1] ____________ Cecilia Beaux(세실리아 보)는 1855년 [2] ____________ 1일 필라델피아에서 태어났다. 보는 [3] ____________의 죽음 이후 [4] ____________에게 길러졌다. 16세의 나이에, 그녀는 [5] ____________을 공부하기 시작했다. 그녀의 첫 [6] ____________은 1885년에 [7] ____________되었다. 3년 뒤, 보는 그녀의 미술 [8] ____________을 계속하기 위해 유럽으로 [9] ____________. 1889년에 유럽에서 돌아온 [10] ____________에, 그녀는 펜실베이니아 미술 아카데미에서 [11] ____________으로 근무했다. 이후, 그녀는 뉴욕으로 [12] ____________했고 그곳에서 많은 [13] ____________ 사람들의 [14] ____________를 그렸다. 그녀는 1942년에 사망했고, 현재 그 나라의 가장 위대한 [15] ____________들 중 한 명으로 [16] ____________.

Words

raise 동 기르다, 양육하다 exhibit 동 전시하다 head to ~로 향하다, ~로 가다 fine arts 미술, 순수 예술 portrait 명 초상화 recognize 동 인정하다, 알아보다

Chapter Test

1 다음 도표의 내용과 일치하지 않는 것은?

지문듣기

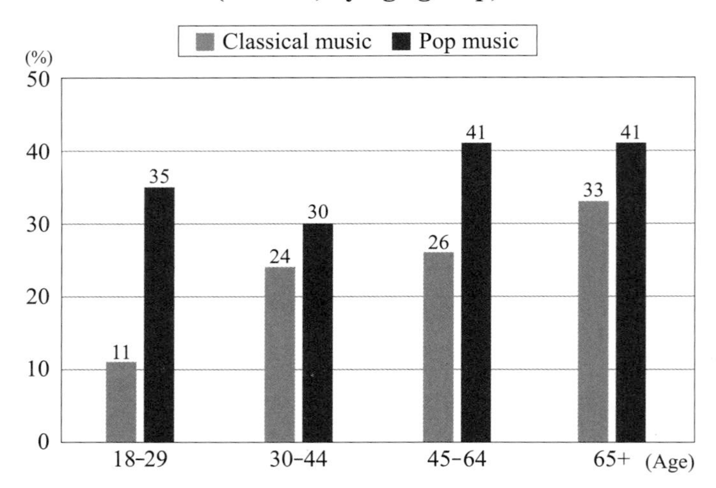

The above graph shows the preferred type of music by age group among Americans in 2022. ① In each age group, the preference for pop music was higher than that for classical music. ② The lowest preference for classical music was among people in the 18-29 age group, at 11 percent. ③ The 30-44 age group showed the smallest difference in preference between classical music and pop music. ④ The 18-29 age group had a higher percentage of people who preferred pop music than the 45-64 age group. ⑤ The preference for pop music among people aged 65 and older was the same as that of the 45-64 age group.

Words

prefer 동 선호하다 type 명 종류 classical music 클래식 음악 pop music 대중음악 preference 명 선호(도)

2

지문듣기

Ludwig Mies van der Rohe에 관한 다음 글의 내용과 일치하지 않는 것은?

Architect Ludwig Mies van der Rohe was born on March 27, 1886, in Germany. When he was young, he helped his father who was a master mason. Later, he worked at a well-known design studio. The houses he designed early in his career made him popular throughout Europe. In 1930, he became the director of an art school called the Bauhaus, but the Nazis forced him to close it just three years later. Mies moved to the United States and became the head of an architecture school in Chicago. He continued to create simple and modern designs. His "less is more" style is represented in famous buildings around the world.

* mason: 석공(돌을 다루는 사람)

① 뛰어난 석공이었던 아버지를 도왔다.
② 경력 초기에 설계한 집들로 유럽에서 인기를 얻었다.
③ 1930년에 그가 운영하던 Bauhaus는 문을 닫아야 했다.
④ Chicago에 있는 건축 학교의 교장이 되었다.
⑤ 단순하고 현대적인 디자인을 계속 만들어냈다.

Words

master 형 뛰어난, 명인의　design 명 디자인, 설계 동 설계하다　career 명 경력　director 명 운영자, 교장　Nazi 명 나치당, 나치 당원
force 동 강요하다, ~하게 만들다　head 명 교장, 수장　architecture 명 건축　modern 형 현대적인, 현대의　represent 동 표현하다, 나타내다

3

다음 표의 내용과 일치하지 않는 것은?

Monthly Mobile Data Usage per User

(unit: gigabytes)

Country	2019	2020
Finland	26	30
Austria	19	26
Iceland	15	14
Sweden	9	11
Norway	6	9
Switzerland	8	7

The table above shows the monthly usage of mobile data per user in six countries in 2019 and 2020. ① Both in 2019 and 2020, users in Finland showed the highest monthly usage of mobile data. ② Among the six countries, Austria showed the biggest gap between the mobile data usage in 2019 and that in 2020. ③ In 2019, the mobile data usage in Iceland was more than twice that of Norway. ④ Norway's monthly mobile data usage in 2020 was the same as Sweden's in 2019. ⑤ Switzerland was the only country where the monthly mobile data usage decreased from 2019 to 2020.

Words

monthly 형 월간의, 한 달의 usage 명 사용(량) per 전 ~당, ~마다 gap 명 차이

정답 및 해설 p.34

4

지문듣기

Blanket Donation Event에 관한 다음 안내문의 내용과 일치하는 것은?

Blanket Donation Event

Do you have any old blankets around the house? Donate them to the Georgetown Community Center! We will give them to people in the community for the cold winter months.

- **WHEN:** April 16-20
- **WHERE:** The collection box is set up in the outdoor parking lot of the Georgetown Community Center.
- **HOW:** Please fold the blankets and place them in the box. That's it!

Note

- Blankets do not have to be washed. We will take care of that.
- Money donations will also be accepted.

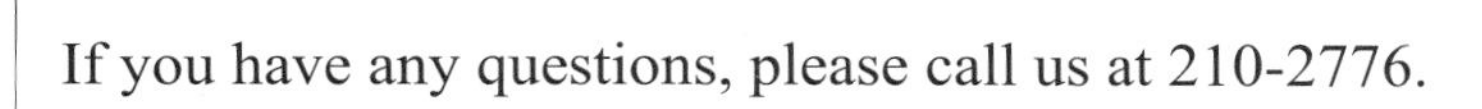

If you have any questions, please call us at 210-2776.

① 4월 20일부터 시작된다.
② 수거함은 주민센터 건물 안에 있다.
③ 담요를 개어서 수거함 안에 두면 된다.
④ 담요는 반드시 세탁해서 기부해야 한다.
⑤ 기부금은 따로 받지 않는다.

Words

blanket 명 담요 donation 명 기부 community center 주민센터 collection 명 수거, 수집 fold 동 개다, 접다 place 동 두다, 놓다
take care of ~을 처리하다, 책임지다 accept 동 받아 주다

Chapter Test

5 Carl Gustav Hempel에 관한 다음 글의 내용과 일치하지 않는 것은?

지문듣기

Carl Gustav Hempel was born on January 8, 1905 near Berlin, Germany. Hempel studied philosophy and mathematics at the University of Berlin. Based on advice from a friend, he moved to Austria to join a group of renowned philosophers. They were known as the Vienna Circle and they were famous for researching scientific thinking. It was during this time that Hempel started developing influential ideas about logical thinking. In 1937, a couple of years before the start of the Second World War, he moved to the United States. Later, he published several popular articles about how to prove scientific theories. Philosophers and scientists around the world still read Hempel's books today.

① 1905년에 베를린 인근에서 태어났다.
② 대학교에서 철학과 수학을 공부했다.
③ 유명한 철학자들로 구성된 모임에 가입했다.
④ 전쟁이 일어난 후에 미국으로 거처를 옮겼다.
⑤ 과학 이론을 증명하는 방법에 관한 논문을 썼다.

Words

philosophy 명 철학 mathematics 명 수학 advice 명 조언, 충고 renowned 형 유명한, 명성 있는 research 동 연구하다 influential 형 영향력 있는 logical 형 논리적인 publish 동 발표하다, 출판하다 article 명 논문 prove 동 증명하다

6

지문듣기

다음 도표의 내용과 일치하지 않는 것은?

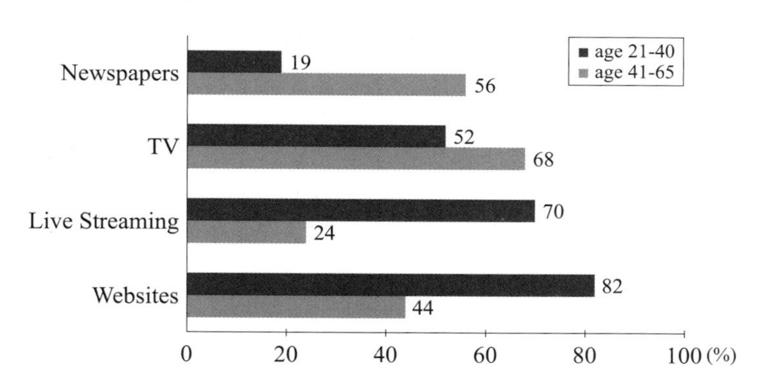

The above graph shows where Koreans in two age groups got news in 2020. ① Less than one-fifth of the people in the 21-40 age group used newspapers to get news. ② In both age groups, over half of the people got news from TV. ③ The smallest gap between the two age groups was in the TV category. ④ The percentage of people in the 21-40 age group who used live streaming was over three times that of the 41-65 age group. ⑤ Websites were the most popular news source for people in the 21-40 age group.

Words

live streaming 온라인 생중계 gap 명 차이 category 명 항목, 부문 over 전 ~ 이상, ~을 넘어서 time 명 (몇) 배, (몇) 번 source 명 출처

7

지문듣기

Claudette Colbert에 관한 다음 글의 내용과 일치하지 않는 것은?

Claudette Colbert was born in Saint-Mandé, France on September 13, 1903. She was a film actress with a long, successful career. When she was three years old, her family moved to New York. Her high school teacher encouraged her to try acting, and she acted in her first play at the age of 15. After graduation, Colbert studied fashion design in college. However, she was offered a role in a Broadway play in 1923 and became an actress. In 1928, Colbert signed a contract with a film studio. She starred in many films and won three Academy Awards. Colbert decided to move to television in 1951 and appeared in a number of popular TV programs until she retired in 1987.

① 프랑스에서 태어났다.
② 3세 때 가족들과 함께 New York으로 이주했다.
③ 대학에서 의상 디자인을 공부했다.
④ 1923년에 브로드웨이 연극의 배역을 제안받았다.
⑤ 1951년에 은퇴하기 전까지 TV 프로그램에 출연했다.

Words

actress 명 배우 encourage 동 권장하다 graduation 명 졸업 offer 동 제안하다 contract 명 계약 film studio 영화 제작사 star 동 주연을 맡다 appear 동 출연하다 retire 동 은퇴하다, 퇴직하다

정답 및 해설 p.34

8

지문듣기

Natural History Museum Sleepover**에 관한 다음 안내문의 내용과 일치하지 <u>않는</u> 것은?**

Natural History Museum Sleepover

Imagine how much fun it would be to wake up next to dinosaur bones. Give your kids an opportunity to explore the mysteries of the past!

Schedule

- Every Friday and Saturday
- Starts at 7:00 p.m., Ends at 9:00 a.m.

Participation Fee

- $30 per child (includes dinner and a snack)
- Full refund up to 48 hours in advance

Notice

- Each child must bring a toothbrush and a flashlight.
- The museum is not responsible for lost items.
- Taking pictures is not allowed.

Contact us at 129-092-8839 for further information.

① 매주 금요일과 토요일에 진행된다.
② 저녁 식사 비용이 참가비에 포함되어 있다.
③ 하루 전까지는 전액 환불을 받을 수 있다.
④ 손전등은 개인이 지참해야 한다.
⑤ 사진 촬영은 불가능하다.

Words

sleepover 명 하룻밤 행사, 밤샘 파티 dinosaur 명 공룡 participation 명 참가, 참여 fee 명 비용 refund 명 환불 in advance 사전에, 미리
toothbrush 명 칫솔 flashlight 명 손전등 responsible for ~에 대한 책임이 있는

MEMO

MEMO

MEMO

앞서가는 중학생을 위한 수능 첫걸음!

초판 2쇄 발행 2023년 12월 11일
초판 1쇄 발행 2023년 3월 3일

지은이	해커스 어학연구소
펴낸곳	㈜해커스 어학연구소
펴낸이	해커스 어학연구소 출판팀
주소	서울특별시 서초구 강남대로61길 23 ㈜해커스 어학연구소
고객센터	02-537-5000
교재 관련 문의	publishing@hackers.com 해커스북 사이트(HackersBook.com) 고객센터 Q&A 게시판
동영상강의	star.Hackers.com
ISBN	978-89-6542-573-1 (53740)
Serial Number	01-02-01

앞서가는 중학생을 위한 수능 첫걸음!

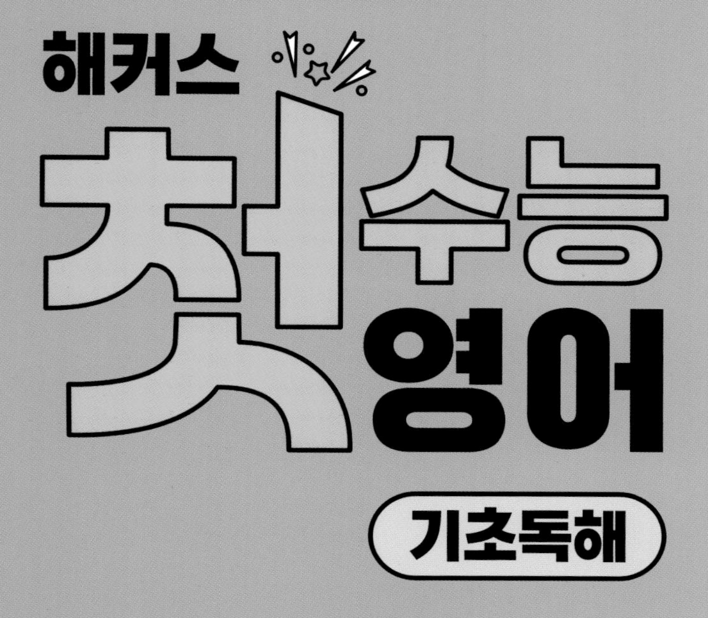

정답 및 해설

정답 및 해설

해커스 어학연구소

Chapter 1

주제문 파악하며 읽기

기초 쌓기 본문 p. 12

해석

① 커피를 마시는 것이 우리가 공부하거나 일을 하는 것을 도울 수 있다는 것은 잘 알려져 있다. ② 커피는 카페인을 함유하고 있는데, 이것은 우리의 뇌를 활성화시키고 우리가 집중하는 것을 도와준다. ③ 하지만, 우리는 커피에 너무 많이 의존해서는 안 된다. ④ 이는 낮 동안 커피를 많이 마시는 것은 밤에 잠자는 것을 어렵게 만들기 때문이다. ⑤ 그 결과, 우리는 그 다음 날 피곤하고 공부하거나 일을 하는 동안 쉽게 집중력을 잃는다.

Let's Try

1 ① 2 ③

1

해석

[A] 스포츠를 할 때 규칙을 따르는 것은 중요하다. [B] 그것은 스포츠가 모두에게 공평하고 즐거울 것을 보장한다. [C] 예를 들어, 만약 당신이 축구에서 손으로 골을 넣었다면, 아무도 그 경기의 결과를 받아들이지 않을 것이다.

2

해석

[A] 유명한 재즈 연주자 Wynton Marsalis는 재즈의 어려움을 보여주기 위해 "재즈는 대본이 없다, 그것은 대화다"라고 말했다. [B] 이는 재즈는 연주자의 재능에 많이 의존하며, 재즈는 많은 연습을 요구하기 때문이다. [C] 분명히, 재즈는 배우기 가장 어려운 음악 장르 중 하나이다.

독해원리 1 | 글의 구조와 주제문 파악하기 본문 p. 14

기출로 확인하기 정답 ③

해석

세상에 영향을 끼친 위대한 사람들의 삶을 연구하라, 그러면 여러분은 사실상 모든 경우에 그들이 혼자 생각하는 데 상당한 양의 시간을 보냈다는 것을 알게 될 것이다. 예를 들어, 위대한 예술가들은 그들의 스튜디오에서 또는 도구를 가지고 무언가를 할 뿐만 아니라 그들의 아이디어와 경험을 탐구하는 데에도 셀 수 없이 많은 시간을 보낸다. 혼자 있는 시간은 사람들이 그들의 경험을 자세히 살피고, 미래를 위한 계획을 세우게 한다. 그것(혼자 있는 시간)은 여러분의 삶을 변화시킬 잠재력을 지니고 있기 때문에 나는 여러분이 생각할 장소를 찾고, 잠시 멈추어 그것(혼자 있는 시간)을 사용하는 법을 스스로에게 가르칠 것을 강력히 권장한다.

해설

혼자 생각하는 시간을 가지는 것의 필요성에 관한 글이다. 혼자 있는 시간은 사람들이 경험을 자세히 살피고, 미래를 위한 계획을 세우게 하며, 삶을 변화시킬 잠재력을 지니고 있다는 주제문의 내용으로 보아 글의 요지로 가장 적절한 것은 ③이다.

독해력 PLUS

Q1 ①

Q2 ②

구문 풀이

[1행] **[Study the lives of the great people who have made an impact on the world], and** you will find that in virtually every case, they *spent a considerable amount of time* alone *thinking*.

→ [ ]는 동사원형 study로 시작하는 명령문으로, 「명령문, and …」는 '~해라, 그러면 …할 것이다'라는 의미이다.

cf. 「명령문, or …」: ~해라, 그렇지 않으면 …할 것이다.

ex. Be confident, **or** you won't be happy. (자신감을 가져라, 그렇지 않으면 당신은 행복하지 않을 것이다.)

→ 「spend + 시간 + v-ing」는 '~하는 데 …의 시간을 보내다'라는 의미이다.

[2행] For example, great artists spend countless hours in their studios or with their instruments **not just** doing, **but** exploring their ideas and experiences.

→ 상관접속사 not just A but B는 'A뿐만 아니라 B도'라는 의미이다. 상관접속사는 같은 형태를 연결하므로 동명사 doing과 exploring이 연결되어 쓰였다.

독해원리 1 적용 Practice 본문 p. 16

1 ① 2 ③ 3 ⑤ 4 ③

1 정답 ①

해석

매일 야채를 먹기 시작하는 다섯 살 여자아이를 상상해 보아라. 처음에는 그녀가 그것들을 먹기 싫어할 것이다. 그러나, 시간이 지남에 따라, 건강한 음식은 그녀에게 일상이 될 것인데, 이것은 장기적으로 유익하다. 구체적으로 말하면, 그녀는 건강한 식단에 익숙해질 것이므로, 어른이 되면 정크 푸드를 많이 먹지 않을 것이다. 이것은 그녀가 좋지 않은 식사가 원인이 되는 건강 문제들을 피하게 도울 것이다. 게다가, 건강한 음식을 먹는 것은 그녀의 일생 동안 그녀에게 학교, 일, 그리고 사회적 활동을 위한 더 많은 에너지를 줄 것이다. 그러므로 어릴 때 좋은 식습관을 기르는 것은 모두에게 필요하다.

해설

어릴 때 좋은 식습관을 기르면 시간이 지남에 따라 건강한 음식이 일상이 되고, 건강 문제들을 피할 수 있으며 더 많은 에너지를 얻는다고 했다. 어릴 때 좋은 식습관을 기르는 것이 모두에게 필요하다는 주제문의 내용으로 보아 필자의 주장으로 가장 적절한 것은 ①이다.

독해력 PLUS

Q1 주제문: Developing good eating habits early in life, therefore, is necessary for everyone.
해석: 그러므로 어릴 때 좋은 식습관을 기르는 것은 모두에게 필요하다.

Q2 ①

구문 풀이

[2행] But, with time, healthy foods will **become normal** for her[, *which* is valuable in the long run].

→ 「become + 형용사」는 '~해지다, ~하게 되다'라는 의미이다.
→ [ ]는 앞 문장 전체를 선행사로 가지는 계속적 용법의 관계대명사절이다. 여기서는 '그런데 이것(건강한 음식이 그녀에게 일상이 될 것임)은 ~하다'라고 해석한다.

[6행] [**Developing** good eating habits early in life], therefore, **is** necessary for everyone.

→ [ ]는 문장의 주어 역할을 하는 동명사구이다. 동명사구는 단수 취급하므로 뒤에 단수동사 is가 쓰였다.

2

정답 ③

해석

우리들 중 다수는 훌륭한 연설을 한 후에 우레와 같은 박수 속에서 무대에서 걸어 내려오는 것을 상상해 본 적 있다. 하지만 현실은 우리 모두 대본을 외우려 애쓰면서 스트레스를 받고, 우리들 중 다수는 심지어 청중 앞에 설 때 공황 상태에 빠지기도 한다는 것이다. 이것은 당신이 완벽함을 포기하지 않는 한 계속 일어날 것이다. 사실, 나는 당신이 연설을 할 때 완벽함보다는 향상에 초점을 둘 것을 권한다. 결점 없는 연설을 한다는 것은 불가능할뿐더러, 이것을 하려고 애쓰는 것은 당신이 준비할 때마다 엄청난 부담을 당신에게 준다. 어쨌든, 당신에게 필요한 것은 당신이 전에 했던 것보다 조금 더 나은 연설이다.

해설

완벽한 연설을 하려고 애쓰는 것은 우리에게 엄청난 부담을 주고, 결점 없는 연설을 하는 것은 불가능하다고 했다. 또한, 연설을 할 때 완벽함보다는 향상에 초점을 둘 것을 권한다는 주제문의 내용으로 보아 글의 요지로 가장 적절한 것은 ③이다.

독해력 PLUS

1 훌륭한　2 무대　3 상상　4 현실　5 대본
6 스트레스　7 청중　8 완벽함　9 연설　10 완벽함
11 향상　12 결점 없는　13 불가능　14 준비할　15 부담
16 필요한 것　17 나은

구문 풀이

[1행] Many of us have imagined [**walking** down from the stage to a thunder of applause after giving a terrific speech].

→ [ ]는 have imagined의 목적어 역할을 하는 동명사구이다.

[2행] But the reality is [that we all get stressed {**trying** to memorize a script} and many of us even panic when we stand in front of a crowd].

→ [ ]는 is의 보어 역할을 하는 명사절이다. 이때 명사절 접속사 that은 생략할 수 있다.
→ { }는 '대본을 외우려 애쓰면서'라는 의미로, [동시동작]을 나타내는 분사구문이다.
= we all get stressed **while/as we try** to memorize a script

[6행] After all, [**what** you need] is a speech {that is a bit better than what you did before}.

→ [ ]는 문장의 주어 역할을 하는 관계대명사절이다. 관계대명사 what은 선행사를 포함하고 있으며, '~하는 것'이라는 의미이다. 이때 what은 the thing(s) which[that]로 바꿔 쓸 수도 있다.
→ { }는 앞에 온 선행사 a speech를 수식하는 주격 관계대명사절이다. 주격 관계대명사 that은 관계대명사절 안에서 주어 역할을 하며, 사람, 사물, 동물을 모두 선행사로 가질 수 있다.

3

정답 ⑤

해석

당신은 다른 사람들이 얼마나 열심히 노력하는지를 결코 통제할 수 없다. 예를 들어, 당신이 테니스 대회를 위해 연습하고 있다면, 당신은 다른 선수들이 얼마나 연습하고 있는지 모를 것이다. 그들 중 몇몇은 열심히 할 수도 있는 반면, 다른 이들은 빈둥거릴지도 모른다. 당신이 그것에 대해 걱정하는 것은 좋지 않은 생각일 것인데, 왜냐하면 그것은 당신이 통제할 수 있는 것이 아니기 때문이다. 하지만, 당신은 당신 스스로를 준비시키기 위해 가능한 한 열심히 훈련하는 것을 선택할 수 있다. 스스로를 밀어붙여라, 그러면 당신은 성공할 수 있는 최고의 기회를 가질 것이다. 남들이 얼마나 많이 노력하든지, 당신의 최선을 다하는 것이 중요하다.

해설

다른 사람들이 얼마나 노력하는지는 통제할 수 없지만, 스스로 열심히 훈련하는 것을 선택할 수 있다고 했다. 또한, 남들이 얼마나 노력하든지 당신의 최선을 다하는 것이 중요하다는 주제문의 내용으로 보아 필자의 주장으로 가장 적절한 것은 ⑤이다.

독해력 PLUS

1 얼마나 열심히　2 통제　3 대회　4 선수　5 연습
6 반면　7 빈둥거릴지도[게으를지도]　8 걱정
9 왜냐하면　10 스스로　11 준비　12 가능한 한 열심히
13 선택할　14 밀어붙여라　15 성공　16 기회　17 노력
18 최선을 다하는 것

구문 풀이

[3행] **It** would be a bad idea *for you* **to worry about that** because it is not something [that you can control].

→ It은 가주어이고, to worry about that이 진주어이다. 이때 가주어 it은 따로 해석하지 않는다.

→ 「for + 목적격」은 to부정사의 의미상 주어로, to부정사(to worry)가 나타내는 동작의 주체이다.

→ [ ]는 앞에 온 선행사 something을 수식하는 목적격 관계대명사절이다. 선행사에 -thing, -body, -one으로 끝나는 대명사가 쓰였을 때는 주로 that을 쓴다.

[4행] However, you can choose to train **as hard as you can** to make yourself ready.

→ 「as + 부사/형용사 + as + 주어 + can」은 '가능한 한 …하게/한'라는 의미이다. 이 문장에서는 부사 hard가 쓰여 '가능한 한 열심히'이라고 해석한다. = 「as + 부사/형용사 + as possible」

[6행] **No matter how much** other people are trying, it's important to do your best.

→ 「No matter how +형용사/부사」는 '~가 아무리(얼마나) …하더라도'의 의미이다.

4

정답 ③

해석

우리가 오늘 내리는 가장 단순한 결정들조차 우리의 미래에 영향을 끼칠 수 있다. 당신이 학교에서 생물학 수업을 들어야 한다고 가정해보자. 어쩌면 당신은 그때는 그 과목에 관심이 없어서 아주 열심히 공부하지 않기로 한다. 그것이 지금 당신에게 중요하지 않기 때문에, 당신은 그것이 큰 문제라고 생각하지 않는다. 하지만, 만약 당신이 그것을 정말 진지하게 생각했다면 어떤 일이 벌어질 수 있을지 생각해보라. 아마 당신은 나중에 그 과목을 즐기고 있는 당신 자신을 발견하고 새로운 열정을 발견하게 될 것이다. 아니면 아마 당신은 심지어 과학과 관련된 진로를 선택할지도 모른다. 이 결정은 당신이 사회에서 당신의 자리를 찾을 때 시간과 노력을 덜어줄 수 있다.

해설

생물학 수업에 진지하게 임하기로 한 단순한 결정이 훗날 과학과 관련된 진로를 잡게 되는 큰 결과로 이어지는 것처럼, 우리가 오늘 내리는 단순한 결정들이 미래에 영향을 끼칠 수 있다는 주제문의 내용으로 보아 글의 요지로 가장 적절한 것은 ③이다.

독해력 PLUS

Q1 ①

Q2 주제문: Even the simplest decisions that we make today can affect our future.

해석: 우리가 오늘 내리는 가장 단순한 결정들조차 우리의 미래에 영향을 끼칠 수 있다.

구문 풀이

[1행] Even the simplest decisions [that we make today] can affect our future.

→ [ ]는 앞에 온 선행사 the simplest decisions를 수식하는 목적격 관계대명사절이다. 선행사에 최상급이 쓰였을 때는 주로 that을 쓴다.

[2행] Maybe you aren't interested in that subject at the time, so you decide **not to study** very hard.

→ to부정사의 부정형은 to 앞에 not[never]을 붙여서 나타낸다.

[4행] But, consider [what could happen] if you **did** take it seriously.

→ [ ]는 「의문사(what) + 주어 + 동사」의 의문사가 이끄는 명사절로, consider의 목적어 역할을 하고 있다.

→ 일반동사 take를 강조하기 위해 동사원형 앞에 조동사 did가 쓰였다. 이 문장에서는 '그것을 정말 진지하게 생각하다'라고 해석한다.

독해원리 2 | 중심 소재와 주제문으로 글의 핵심 파악하기

본문 p. 20

기출로 확인하기

정답 ①

해석

한 세대 혹은 두 세대 전만 해도, '알고리즘'이라는 단어를 언급하는 것은 대부분의 사람들로부터 아무 반응을 얻지 못했다. 오늘날, 알고리즘은 문명의 모든 부분에서 나타나며, 그것들은 일상 생활과 연결되어 있다. 그것들은 당신의 휴대전화나 노트북 안에 있을 뿐만 아니라 당신의 자동차, 집, 가전제품과 장난감 안에도 있다. 사람들이 여기저기서 스위치를 돌리고 있는 채로, 당신의 은행은 알고리즘의 거대한 망이다. 알고리즘은 비행 일정을 잡고 비행기를 운항한다. 알고리즘은 공장을 운영하고, 상품을 거래하며, 기록을 보관한다. 알고리즘 없이는 이것들 중 아무것도 이만큼 효과적으로 진행될 수 없다.

① 우리는 알고리즘의 시대에 산다
② 고대 문명의 미스터리
③ 온라인 뱅킹 알고리즘의 위험성
④ 알고리즘이 어떻게 인간의 창의성을 감소시키는가
⑤ 운송 수단: 산업의 원동력

해설

오늘날 일상 모든 곳과 연결되어 있는 알고리즘에 대한 글이다. 알고리즘은 문명의 모든 부분에서 나타나고, 그것들은 일상 생활과 연결되어 있다는 주제문의 내용으로 보아, 글의 제목으로 가장 적절한 것은 ①이다.

▌오답 분석 ②과 ⑤은 글의 중심 소재인 algorithms가 포함되지 않았으므로 오답이다. ③과 ④은 글의 중심 소재인 algorithms를 사용했으나 주제문의 내용과 관련이 없으므로 오답이다.

독해력 PLUS

Q1 algorithms

Q2 주제문: Today, algorithms appear in every part of civilization, and they are connected to everyday life.

해석: 오늘날, 알고리즘은 문명의 모든 부분에서 나타나며, 그것들은 일상 생활과 연결되어 있다.

구문 풀이

[1행] Only a generation or two ago, **mentioning the word** *algorithms* would have drawn a blank from most people.

→ mentioning the word *algorithms*는 문장의 주어 역할을 하는 동명사구이다.

[4행] Your bank is a huge web of algorithms, **with humans turning** the switches here and there.

→ 「with + 명사 + 분사」는 '~가 …한 채로/하면서'라는 의미로, [동시동작]을 나타낸다.

[6행] **None of** these could be done as effectively without algorithms.

→ none of는 '~ 중 어떤 것도/아무것도 …하지 않다'라는 의미로, [전체 부정]을 나타낸다.

독해원리 2 적용 Practice

본문 p. 22

1 ④ 2 ③ 3 ⑤ 4 ⑤

1

정답 ④

해석

무중력 상태에서, 우리의 몸은 놀라운 방식으로 변화한다. 예를 들어, 우리는 우주에서 키가 더 커진다. 지구에서는, 척추가 중력에 의해 꽉 눌려 있지만, 무중력 상태에서는 척추가 펴지면서 우리를 3퍼센트 더 크게 만든다. 그것이 좋을 수도 있지만, 이는 지속되지 않는다. 일단 우리가 지구에 돌아오면 우리는 정상적인 키로 돌아간다. 무중력은 근육에도 영향을 미친다. 우주 비행사들은 우주에서 떠다니기 때문에 움직이기 위해서 팔다리를 거의 쓰지 않는다. 얼마가 지나면, 그들은 많은 근육량을 잃을 수 있다. 이 때문에, 그들은 지구에 돌아왔을 때 너무 쇠약해져서 걷거나 심지어 일어서지 못할 수도 있다.

① 인간이 우주에서 살아남을 수 없는 이유
② 우주 여행을 계획하는 것의 어려움
③ 식사 후 산책하는 것의 이점
④ 무중력이 인체에 미치는 영향
⑤ 중력을 다루는 기술들

해설

무중력 상태에서 인간은 중력에 의해 꽉 눌려 있던 척추가 펴지면서 키가 커지고, 팔다리를 거의 움직이지 않아서 근육량을 잃을 수도 있다고 했다. 이처럼 무중력 상태에서는 우리의 몸이 놀라운 방식으로 변화한다는 주제문의 내용으로 보아 글의 주제로 가장 적절한 것은 ④이다.

독해력 PLUS

1 몸	2 변화한다[변한다]	3 우주	4 커진다
5 중력	6 척추	7 더 크게 만든다	8 지속
9 돌아	10 정상적인	11 근육	12 영향을 미친다
13 움직이기	14 잃을	15 쇠약	16 심지어

구문 풀이

[3행] We go back to our normal height **once** we return to Earth.

→ once는 '일단 ~하면, ~하자마자'이라는 의미로, 부사절을 이끄는 접속사로 쓰여 뒤에 「주어 + 동사」의 절이 왔다.

[4행] Astronauts barely use their legs and arms **to move** because they float around in space.

→ to move는 '움직이기 위해'라는 의미로 [목적]을 나타내는 to부정사의 부사적 용법으로 쓰였다.

[5행] **Because of** this, they can become *too weak to walk* or even *to stand up* when they come back to Earth.

→ because of는 '~ 때문에'라는 의미의 전치사로, 뒤에 명사가 온다.
→ 「too + 형용사/부사 + to-v」는 '~하기에는 너무 …하다' 또는 '너무 …해서 ~할 수 없다'라는 의미이다. 이 문장에서는 to walk와 to stand up이 등위접속사 or로 연결되어 쓰였다.

2

정답 ③

해석

우리의 자존감을 북돋을 방법을 찾기는 쉽지 않다. 하지만 도움이 될 만한 공간이 하나 있다: 부엌이다. 어떤 사람들은 기분이 안 좋을 때면 부엌으로 가는데, 뭔가를 먹고 싶어서가 아니다. 그들은 맛있는 한 끼를 요리할 계획을 세운다. 어찌된 일인지, 그들이 요리의 과정을 거치면서 그들의 기분이 변한다. 준비부터 요리에 이르기까지, 끝마친 모든 작은 단계들이 하나의 성공이며, 이는 그들의 감정에 긍정적인 영향을 준다. 이렇게, 요리는 사람들에게 격려가 필요할 때 그들에게 격려를 주는 효과적인 방법이 될 수 있다.

① 건강한 재료에 대한 안내서
② 더 많이 먹을수록, 더 기분이 좋아진다
③ 요리: 더 높은 자존감을 위한 비결
④ 당신이 친구들을 초대할 때 무엇을 요리할지
⑤ 음식을 사는 것이 당신을 행복하게 만들 수 있을까?

해설

요리를 할 때 준비 단계부터 요리에 이르기까지 거치게 되는 모든 단계들이 하나의 성공이어서 감정에 긍정적인 영향을 미친다고 했다. 요리는 격려가 필요한 사람들에게 격려를 주는 효과적인 방법이라는 주제문의 내용으로 보아 글의 제목으로 가장 적절한 것은 ③이다.

독해력 PLUS

Q1 주제문: In this way, cooking can be an effective method for

giving people encouragement when they need it.

해석: 이렇게, 요리는 사람들에게 격려가 필요할 때 그들에게 격려를 주는 효과적인 방법이 될 수 있다.

Q2 ②

구문 풀이

[1행] **It** is hard **to find** a way to boost our self-esteem.

→ It은 가주어이고, to find 이하가 진주어이다. 이때 가주어 it은 따로 해석하지 않는다.

[3행] Somehow, their mood changes [**as** they go through the process of cooking].

→ as는 '~하면서'라는 의미로, 부사절 [ ]을 이끄는 접속사로 쓰여 뒤에 「주어 + 동사」의 절이 왔다.

[4행] **Every** small step [that is completed], from preparation to the plate, **is** a success, and this has a positive effect on their feelings.

→ every(매, 모든) 뒤에는 반드시 단수명사(step)가 와야 하며, 「every + 단수명사」는 단수 취급하므로, 단수동사 is가 쓰였다.

→ [ ]는 앞에 온 선행사 step을 수식하는 주격 관계대명사절이다.

[5행] In this way, cooking can be an effective method for [**giving** people encouragement {when they need it}].

→ [ ]는 전치사 for(~ 하기 위한)의 목적어 역할을 하는 동명사구이다.

→ { }는 when이 이끄는 부사절이다. when은 '~할 때'라고 해석한다.

3

정답 ⑤

해석

당신이 그룹 프로젝트에서 일하고 있고 당신의 팀원 중 한 명이 슬퍼 보였을 때, 당신은 무엇을 할 것인가? 놀랍게도, 그것을 언급하는 것만으로도 관계를 더 좋게 만들 수 있다. 만약 당신이 "속상해 보여요"와 같은 한 마디 말을 하거나 "괜찮아요?"와 같은 질문을 한다면, 당신의 팀원은 당신이 그들의 감정에 마음을 쓴다고 느낄 것이다. 어떤 의미에서 보면, 이것들과 같은 사소한 말이나 인식의 질문들이 다른 사람들이 당신을 어떻게 생각하는지를 바꿀 수 있다. 곧, 당신은 신뢰를 쌓기 시작할 것이고, 당신은 그들과 더 가까워질 것이다. 다른 사람들이 어떻게 느끼는지에 관심을 보이는 것은 관계에서 신뢰를 형성하는 훌륭한 방법이다.

① 몸짓 언어: 신뢰를 얻는 비결
② 우리는 왜 감정을 통제해야 하는가
③ 그룹 프로젝트를 이끄는 방법
④ 회사에서 감정적이게 되는 것: 좋지 않은 생각
⑤ 신뢰를 쌓고 싶은가? 당신이 관심을 가진다는 것을 보여라!

해설

다른 사람의 기분에 대한 사소한 말이나 질문들을 통해 신뢰를 쌓고 그 사람들과 더 가까워질 수 있다고 했다. 다른 사람들이 어떻게 느끼는지에 관심을 보이는 것은 신뢰를 형성하는 훌륭한 방법이라는 주제문의 내용으로 보아 글의 제목으로 가장 적절한 것은 ⑤이다.

▌오답 분석 ①은 글의 중심 소재 Trust가 포함되어 있지만 몸짓 언어는 글의 핵심 내용과 관련 없으므로 오답이다. ②, ③, ④은 글의 중심 소재가 포함되지 않았으므로 오답이다.

독해력 PLUS

Q1 주제문: Showing interest in how other people feel is a great way to create trust in a relationship.

해석: 다른 사람들이 어떻게 느끼는지에 관심을 보이는 것은 관계에서 신뢰를 형성하는 훌륭한 방법이다.

Q2 ①

구문 풀이

[4행] In a sense, small statements or questions of recognition like these can change [how people feel about you].

→ [ ]는 「의문사(how) + 주어 + 동사」의 의문사가 이끄는 명사절로, can change의 목적어 역할을 하고 있다.

[6행] Showing interest in [how other people feel] is a great way **to create trust in a relationship**.

→ [ ]는 「의문사(how) + 주어 + 동사」의 의문사가 이끄는 명사절로, in의 목적어 역할을 하고 있다.

→ to create trust in a relationship은 '관계에서 신뢰를 형성하는'이라는 의미로, to부정사의 형용사적 용법으로 쓰여 a great way를 수식하고 있다.

4

정답 ⑤

해석

당신이 감기에 걸려 있을 때 음식에서 왜 이상한 맛이 나는지 궁금해한 적이 있는가? 답은 당신의 입이 아니라 코에 있다. 당신의 혀는 맛을 느끼는 것을 잘하지만, 그것은 당신의 코로부터 많은 도움을 필요로 한다. 당신의 후각은 당신의 맛을 느끼는 능력에 매우 중요하다. 사실, 그것(맛)의 약 80퍼센트 정도가 당신의 코로부터 온다. 한 연구에서, 연구원들은 코마개를 착용한 참가자들이 그것을 착용하지 않은 사람들보다 음식의 맛을 덜 정확하게 묘사했다는 것을 발견했다. 따라서 당신이 아파서 코가 막혔을 때, 당신이 먹는 것의 맛을 느끼기는 더 힘들다.

① 다섯 가지 감각들 간의 차이점들
② 뜨거운 음식의 맛을 느끼는 것의 어려움
③ 음식의 맛을 보는 데 있어 혀의 기능들
④ 감기로부터 회복하는 방법들
⑤ 맛에 있어서 냄새의 중요성

해설

맛을 느끼는 과정은 코의 도움을 많이 필요로 하며, 맛의 약 80퍼센트가 코에서부터 전달된다고 했다. 후각은 맛을 느끼는 능력에 매우 중요하다는 주제문의 내용으로 보아 글의 주제로 가장 적절한 것은 ⑤이다.

독해력 PLUS

Q1 주제문: Your sense of smell is very important to your ability to taste.

해석: 당신의 후각은 당신의 맛을 느끼는 능력에 매우 중요하다.

Q2 nose, smell

구문 풀이

[1행] **Have you** ever **wondered** [why your food tastes strange when you have a cold]?

→ 「Have/Has + 주어 + p.p. ~?」의 현재완료 시제가 쓰인 의문문으로, 과거의 [경험]을 물을 때 쓴다.

→ [ ]는 「의문사(why) + 주어 + 동사」의 의문사가 이끄는 명사절로, have wondered의 목적어 역할을 하고 있다.

[4행] In one study, researchers found [that participants who wore nose plugs described the taste of food less accurately than **those** {**who** did not wear them}].

→ [ ]는 found의 목적어 역할을 하는 명사절로, 명사절 접속사 that은 생략할 수 있다.

→ { }는 앞에 온 선행사 those를 수식하는 주격 관계대명사절이다. 이때 those who는 '~하는 사람들'이라고 해석한다.

[6행] So, when you are sick and have a stuffy nose, **it** is harder **to taste** [*what* you eat].

→ it은 가주어이고 to taste 이하가 진주어이다. 이때 가주어 it은 따로 해석하지 않는다.

→ [ ]는 to taste의 목적어 역할을 하는 관계대명사절이다. 관계대명사 what은 선행사를 포함하고 있으며, '~하는 것'이라는 의미이다. 이때 what은 the thing(s) which[that]로 바꿔 쓸 수도 있다.

Chapter Test

본문 p. 26

1 ②	2 ④	3 ②	4 ①
5 ⑤	6 ③	7 ⑤	8 ②

1

정답 ②

해석

우리가 함부로 말을 할 때 쉽게 다른 사람의 감정에 상처를 입힐 수 있다. 이는 왜냐하면 때때로 우리는 말하기 전에 우리가 말하는 것에 대해 생각하지 않기 때문이다. 예를 들어, 만약 당신이 친구와 말다툼을 하게 되면, 당신은 마음속에 떠오르는 무엇이든지 그냥 말해 버리기 쉽다. 심지어 당신은 결국 그 싸움을 악화시킬 무언가 나쁜 말을 하게 될 수도 있다. 하지만 말하기 전에 생각하는 것은 이와 같은 상황을 피하고 당신이 친구들을 잃는 것을 막도록 당신을 도와줄 수 있다. 이는 또한 당신이 다투고 있는 문제점들에 대한 해결책을 찾는 것을 더 쉽게 만들어 줄 것이다. 따라서, 이러한 이유들 때문에, 당신은 항상 당신의 관계를 견고하게 유지하기 위해 말을 신중하게 선택해야 한다.

해설

말하기 전에 무슨 말을 할지 생각하고 말하는 것은 관계를 악화시킬 말을 하는 상황을 피하고 친구를 잃는 것을 막을 수 있다고 했다. 사람들 사이의 관계를 견고하게 유지할 수 있도록 말을 신중하게 선택하라는 주제문의 내용으로 보아 필자의 주장으로 가장 적절한 것은 ②이다.

구문 풀이

[1행] This is because we sometimes don't think about [**what** we say] *before* we say it.

→ [ ]는 전치사 about의 목적어 역할을 하는 관계대명사절이다. 관계대명사 what은 선행사를 포함하고 있으며, '~하는 것'이라는 의미이다. 이때 what은 the thing(s) which[that]로 바꿔 쓸 수도 있다.

→ before는 '~하기 전에'라는 의미로, 부사절을 이끄는 접속사로 쓰여 뒤에 「주어 + 동사」의 절이 왔다.

[2행] For example, if you get into an argument with a friend, it can be easy to just say **whatever** comes to your mind.

→ 복합관계대명사 whatever는 '~하는 것은 무엇이든지'라고 해석한다. anything that으로 바꿔 쓸 수 있다.

[6행] It will also **make *it* easier** for you *to find* a solution to problems that you are arguing over.

→ 「make + 목적어 + 형용사」는 '~을 …하게 만들다'라는 의미이다. 여기서는 목적어 it 뒤에 형용사의 비교급 easier가 쓰였다.

→ it은 가목적어이고, to find 이하가 진목적어이다. 이때 가목적어 it은 따로 해석하지 않는다.

→ 「for + 목적격」은 to부정사의 의미상 주어로, to부정사(to find)가 나타내는 동작의 주체이다.

2

정답 ④

해석

우리는 뉴스와 대중 매체로부터 많은 정보를 얻지만, 가짜 정보를 사실과 구별하지 않는다면 그것(우리가 뉴스와 대중 매체로부터 많은 정보를 얻는 것)은 위험할 수 있다. 예를 들어, 인터넷에는 기후 변화에 대해 이야기하는 사람들이 많다. 이러한 내용 중 일부는 전문적인 과학자들로부터 나오고, 그것의 또 다른 일부는 전문적인 지식이 부족한 사람들로부터 나온다. 우리가 전문가들에게 귀를 기울인다면, 환경에 도움을 줄 방법에 대해 배울 수 있다. 그러나 우리가 그것(전문가들에게 귀를 기울이는 것)을 하는 데 실패한다면, 우리는 해로운 정보를 얻게 될지도 모르고, 결국 상황을 악화시키는 일들을 하게 될 수 있다. 따라서, 우리의 뉴스가 어디서 오는지에 각별한 주의를 기울이는 것이 중요하다.

해설

우리가 뉴스와 대중 매체에서 얻는 정보 가운데 가짜 정보를 사실과 구분하지 않으면 굉장히 위험할 수 있으며, 결국 상황을 악화시키는 일들을 하게 될 수 있다고 했다. 정보가 어디서 오는지에 각별한 주의를 기울여야 한다는 주제문의 내용으로 보아 글의 요지로 가장 적절한 것은 ④이다.

오답분석 ①, ②, ⑤은 글의 중심 소재인 '정보(information)'가 포함되지 않았으므로 오답이다. ③은 글의 중심 소재를 사용했으나 정보 선택의 기회는 글의 핵심 내용과 관련 없는 내용이므로 오답이다.

구문 풀이

[2행] For example, there are many people on the Internet [(who/that are) **talking** about climate change].

→ [ ]는 앞에 온 many people on the Internet을 수식하는 현재분사구이다. 이때 talking은 '이야기하는'이라고 해석한다. 현재분사 앞에 「주격 관계대명사 + be동사」가 생략되어 있다.

[5행] But if we fail to do that, we may get harmful ideas and could **end up doing** things [that make the situation worse].

→ 「end up + v-ing」는 '결국 ~하게 되다'라는 의미이다.

→ [ ]는 앞에 온 선행사 things를 수식하는 주격 관계대명사절이다.

[6행] So, it's important to pay special attention to [where our news is coming from].

→ [ ]는 「의문사(where) + 주어 + 동사」의 의문사가 이끄는 명사절로, to의 목적어 역할을 하고 있다.

3

정답 ②

해석

공포는 우리 대부분이 간절히 피하려고 애쓰는 것이다. 아이들은 그들이 자는 동안 침대 밑의 괴물들이 나타날까 봐 불안해한다. 심지어 더 이상 이런 걱정은 없는 어른들도, 마치 등산할 때의 알 수 없는 소리와 같이, 다른 것들을 두려워할 수 있다. 하지만, 사실, 공포는 우리를 가장 잘 보호해 주는 것이다. 인간은 살아남기 위해 수만 년 동안 공포에 의존해 왔다. 우리는 마치 거대한 동물처럼 무언가 위험한 것을 마주칠 때 두려워한다. 공포심은 우리가 탈출할 방법을 생각해낼 수 있도록 우리가 그 위험에 주목하게 만든다. 그것은 상황이 위험할 때 우리에게 알려 주기 위해 우리의 몸이 사용하는 타고난 수단인데, 그것은 우리를 안전하게 지킨다.

① 공포를 극복하는 유용한 방법들
② 공포가 위험을 피하도록 우리를 돕는 방법
③ 초기 인류가 두려워하지 않았던 이유
④ 두려운 상황에서 동물들의 중요성
⑤ 전 세계 괴물들과 관련된 유명한 이야기들

해설

공포는 아이들을 불안에 빠트리고, 어른들도 두려움을 느끼게 만드는 요소이지만, 사실 공포는 우리가 위험한 상황에 처했을 때 탈출할 방법을 떠올리도록 만들어주는 타고난 수단이라고 했다. 공포는 우리를 가장 잘 보호해 주는 것이라는 주제문의 내용으로 보아 글의 주제로 가장 적절한 것은 ②이다.

구문 풀이

[2행] Even adults[**, who** don't have this concern anymore], can fear other things, such as unknown sounds when they hike.

→ [ ]는 앞에 온 adults를 선행사로 가지는 계속적 용법의 관계대명사절이다. 선행사에 대한 부연 설명을 하기 위해 문장 중간에 삽입되었다.

[6행] The feeling of fear **makes us focus** on the danger *so that* we can think of a way to escape.

→ 「make + 목적어 + 동사원형」은 '~가 …하도록 만들다'라는 의미이다.

→ so that은 부사절을 이끄는 접속사로, '~하도록'이라는 의미이다. 이 문장에서는 '우리가 탈출할 방법을 생각해낼 수 있도록'이라고 해석한다.

[7행] It's a natural tool [(which/that) our body uses **to tell** us when a situation is dangerous], which keeps us safe.

→ [ ]는 앞에 온 선행사 a natural tool을 수식하는 목적격 관계대명사절로, 목적격 관계대명사 which/that이 생략되어 있다.

→ to tell 이하는 '상황이 위험할 때 우리에게 알려 주기 위해'라는 의미로, [목적]을 나타내는 to부정사의 부사적 용법으로 쓰였다.

4

정답 ①

해석

만약 당신이 당신의 인생 목표를 찾고자 한다면, 당신은 당신이 좋아하는 것과 관심사를 먼저 고려해야 한다. 당신이 어떻게 시간을 보내며 즐기는지를 떠올려 봐라, 그러면 그것은 당신의 꿈이 무엇인지를 발견하도록 당신을 도와줄 것이다. 만약 당신이 미술 수업에서 가장 행복하다면, 아마 당신은 창의성과 관련된 인생의 목표를 가져야 할 것이다. 혹은 만약 당신이 여행하는 것을 좋아한다면, 아마도 당신의 꿈들은 다른 장소들을 보거나 그곳에서 사는 것을 포함해야 한다. 많은 경험을 하는 것과 다양한 것들을 배우는 것 역시 도움이 된다. 새로운 동호회에 가입하거나 새로운 취미를 시도해 봐라. 이런 식으로, 당신은 당신 자신에 대해 그리고 당신이 일생 동안 이루고 싶어 할 수도 있는 것에 대해 더 많이 발견할 수 있다. 스스로를 알아감으로써, 당신은 만족스러운 미래를 위한 더 나은 목표를 세울 수 있다.

① 자아 발견: 더 나은 미래를 위한 비결
② 당신의 꿈들을 현실로 만드는 방법들
③ 여행을 계획하기 위해 당신에게 필요한 목표들
④ 창의적이기 위해 다르게 생각하라!
⑤ 새로운 취미를 시작하는 방법

해설

자신이 좋아하는 것을 고려하고 어떻게 시간을 보낼 때 행복한지를 떠올려 보면 자신이 일생 동안 이루고 싶어 하는 것을 찾을 수 있다고 했다. 스스로를 알아감으로써 더 나은 목표를 세울 수 있다는 주제문의 내용으로 보아 글의 제목으로 가장 적절한 것은 ①이다.

▌오답 분석 ②은 글의 중심 소재인 to know yourself에 대한 내용이 빠져 있으므로 오답이다. ③, ④, ⑤은 글의 중심 소재가 포함되지 않았으므로 오답이다.

구문 풀이

[2행] Think about how you enjoy spending your time, and it will **help you discover** [*what* your dreams are].

→ 「help + 목적어 + 동사원형」은 '~가 …하도록 돕다'라는 의미이다.
→ [ ]는 discover의 목적어 역할을 하는 관계대명사절이다.

[3행] If you feel **the happiest** in art class, maybe you should have life goals that are related to creativity.

→ 「the + 형용사/부사의 최상급」은 '가장 ~한/하게'라는 의미이다. 여기서는 형용사 happy의 최상급인 happiest가 쓰였다.

[7행] **By getting** to know *yourself*, you can set better goals for a satisfying future.

→ 「by + v-ing」는 '~함으로써, ~해서'라는 의미로 수단이나 방법을 나타낸다.
→ know의 목적어가 주어(you)와 같은 대상이므로 재귀대명사 yourself가 쓰였다. 이때의 재귀대명사는 '스스로, 그들 자신'이라고 해석하며, 생략할 수 없다.

5

정답 ⑤

해석

응급 처치 교육의 장점은 널리 알려져 있다. 의료상 응급 상황에서, 응급 처치를 아는 사람은 신속하게 처치를 할 수 있다. 이것은 다친 사람에게 있는 위험 요소를 크게 줄여 준다. 이러한 응급 처치를 배우는 것의 명백한 장점에도 불구하고 대부분의 사람들은 그것에 관심이 없다. 그들은 그들이 아는 누군가가 다치는 가능성은 거의 없다고 생각한다. 그럼에도 불구하고, 응급 처치를 배워 두는 것은 굉장히 중요한데 왜냐하면 대부분의 사고가 실제로 집 안에서 일어나기 때문이다. 최근의 한 연구에 따르면, 실내 사고로 인한 사망의 약 60퍼센트가 응급 처치를 통해 예방될 수 있었다고 한다. 그러므로, 우리는 응급 처치하는 법을 배워 두는 것을 필수적이라고 여겨야 한다.

해설

응급 처치를 아는 사람은 다친 사람에게 신속하게 처치를 해서 위험 요소를 크게 줄여 줄 수 있으며, 실내 사망의 약 60퍼센트가 응급 처치를 통해 예방될 수 있었다고 했다. 응급 처치법을 배워 두는 것이 필수라는 주제문의 내용으로 보아 글의 요지로 가장 적절한 것은 ⑤이다.

구문 풀이

[1행] **During** a medical emergency, someone [who knows first aid] can quickly provide treatment.

→ 전치사 during은 '~ 동안'이라는 의미이다. during 뒤에는 특정 기간이나 사건을 나타내는 명사가 온다.
→ [ ]는 앞에 온 선행사 someone을 수식하는 주격 관계대명사절이다.

[3행] **Despite** this obvious advantage of learning first aid, most people are not interested in it.

→ Despite은 '~에도 불구하고'라는 의미의 전치사이다. 같은 의미의 전치사인 in spite of로 바꿔 쓸 수도 있다.

[4행] They believe [that there is little chance of someone they know {**being** injured}].

→ [ ]는 believe의 목적어 역할을 하는 명사절로, 명사절 접속사 that은 생략할 수 있다.
→ { }는 앞에 온 someone they know를 수식하는 현재분사구로, 이때 being은 '~한 상태가 되는'이라고 해석한다.

6

정답 ③

해석

때때로 우리는 충분한 능력이 없다고 생각한 나머지 무언가를 하지 않는다. 이렇게 할 때 우리는 좋은 기회들을 놓친다. 결국, 우리는 일어날 수도 있었을 좋은 것들에 대해 많은 후회를 하게 될 것이다. 그것이 우리는 우리에게 기회가 있을 때 행동에 옮겨야 하는 이유이다. 비록 우리가 시도하고 나서 결과가 완벽하지 않더라도, 우리는 여전히 배울 것이다. 그러고 나서 우리는 우리의 목표에 도달하는 것에 더 가까워지기 위해 그 다음번에 이 지혜를 사용할 수 있다. 그러므로, 우리에게 기회가 있을 때 행동하는 것은 계속 성장하고 앞으로 나아갈 수 있는 훌륭한 방법이다.

해설

비록 무언가를 시도하고 나서 결과가 완벽하지 않더라도 우리는 여전히 배울 것이며, 다음번에 이 지혜를 사용한다고 했다. 우리에게 기회가 있을 때 행동에 옮기는 것은 우리가 계속 성장하고 앞으로 나아갈 수 있는 방법이라는 주제문의 내용으로 보아 필자의 주장으로 가장 적절한 것은 ③이다.

구문 풀이

[1행] Sometimes we don't do something because we think [that we don't have enough skill].

→ [ ]는 think의 목적어 역할을 하는 명사절이다. 이때 명사절 접속사 that은 생략할 수 있다.

[2행] In the end, we will have a lot of regret about the good things [that **could have happened**].

→ [ ]는 앞에 온 선행사 the good things를 수식하는 주격 관계대명사절이다.
→ 「could have p.p.」는 '~했을 수도 있었다'라는 의미로, 가능성이 있었으나 일어나지 않은 일을 나타낸다.

[3행] **That's why** we must take action when we have the chance.

→ That is why는 '그것이 ~한 이유이다'라는 의미로, why 뒤에 오는 내용이 앞 문장에 대한 결과가 된다.

[6행] So, [acting {*when* we have the chance}] is a good way to keep improving and moving forward.

→ [ ]는 문장의 주어 역할을 하는 동명사구이다. 동명사구는 단수 취급하므로 뒤에 단수동사 is가 쓰였다.

→ { }는 when이 이끄는 부사절이다. when은 '~할 때'이라고 해석한다.

→ 「keep + v-ing」는 '계속해서 ~하다'라는 의미이다. keep은 목적어로 동명사를 쓴다. 여기서는 improving과 moving이 등위접속사 and로 연결되어 쓰였다.

7

정답 ⑤

해석

오늘날 온라인 결제 방법들의 등장과 함께 우리는 급격하게 현금이 없는 사회가 되어 가고 있다. 비록 이 시스템이 우리에게 굉장히 편리하기는 하지만, 그것은 우리의 사생활에 상당한 위협을 준다. 우선 하나는, 우리의 구매에 대한 정보가 마케팅을 위해 회사들에 의해 추적될 수 있다. 더욱 심각하게는, 온라인 결제 시스템은 우리의 개인 정보가 도난되기 더욱 쉽게 만든다. 금융 전문가 Preston Packer(프레스톤 패커)는 "현금 없는 결제는 신원 도용을 향해 열린 문과 다름없다"라고 말한다. 개인 정보에 대한 위험을 고려해 볼 때, 현금 없는 세상으로의 이행이 순조롭게 진행될 가능성은 아주 적다.

① 현금: 우리는 왜 오늘날에도 그것을 여전히 사용하나?
② 사생활: 현금 없는 사회에서는 문제가 되지 않음
③ 정보 도용을 방지하는 전자 장치들
④ 세계적인 기업들이 온라인에서 물건을 파는 방법
⑤ 현금 없는 결제와 관련된 문제점들

해설

온라인 결제 시스템에서 우리의 구매에 대한 정보가 추적되고, 개인 정보가 도난되기 쉽다고 했다. 우리의 개인 정보에 대한 위험을 고려하면 현금 없는 세상으로의 이행이 순조롭지 않을 것이라는 주제문의 내용으로 보아 글의 제목으로 가장 적절한 것은 ⑤이다.

▌오답 분석 ①, ③, ④은 글의 중심 소재인 cashless가 포함되지 않았으므로 오답이다. ②은 글의 중심 소재가 사용되었으나, 이것의 위험성에 대한 내용과 반대되는 서술이므로 오답이다.

구문 풀이

[2행] **Although** this system is highly convenient for us, it presents a significant threat to our privacy.

→ Although는 부사절을 이끄는 접속사로, '비록 ~이지만, ~하더라도'라는 의미이다.

[4행] More seriously, online payment systems **make *it* easier** for our personal data *to be stolen*.

→ 「make + 목적어 + 형용사」는 '~을 …하게 만들다'라는 의미이다. 여기서는 목적어 it 뒤에 형용사의 비교급 easier가 쓰였다.

→ it은 가목적어이고, to be stolen이 진목적어이다. 이때 가목적어 it은 따로 해석하지 않는다.

→ 「for + 목적격」은 to부정사의 의미상 주어로, to be stolen의 대상이 된다.

[6행] [(Being) **Given** the risk to personal information], *it* is highly unlikely {that the move to a world without cash will go smoothly}.

→ [ ]는 [조건]을 나타내는 수동형 분사구문이다. 분사구문으로 만드는 부사절에 수동태가 쓰였을 경우 동사를 「Being p.p.」로 바꾸는데, 이때 Being은 생략할 수 있다.

= **If it was given** the risk ~

→ it은 가주어이고, that절이 진주어이다. 이때 가주어 it은 따로 해석하지 않는다.

8

정답 ②

해석

용감해지는 것은 당신의 능력을 계발하도록 당신을 도와줄 수 있다. 당신이 이야기 하나를 쓰려고 시도하고 있다고 가정해 보자. 당신은 아마도 그것이 완벽하다는 것을 확신하기 전에 누군가가 그것을 읽게 하는 것에 두려움을 느낄지도 모른다. 결국, 누군가 그것을 읽게 되면, 그들은 그것과 관련하여 말할 부정적인 것들을 떠올릴 수 있다. 하지만 우리는 때로 두려운 것들을 해야 할 필요가 있는데, 왜냐하면 성공은 대개 고난과 실패를 요구하기 때문이다. 피드백을 받기 위해 다른 사람들이 당신의 이야기를 읽게 하라. 당신은 아마 처음에는 주눅들 수 있지만, 당신은 당신의 글과 관련하여 무언가 새로운 것을 배우기도 할 것이다. 그러면 당신은 그 정보를 활용하여 당신의 글을 더 좋게 만들 수 있는데, 왜냐하면 당신은 이제 또 다른 관점을 가졌기 때문이다.

① 위험을 미리 관리하는 것의 장점들
② 위험을 감수하는 것이 향상으로 이어지는 이유
③ 개인 성장의 장애물로서의 위험
④ 글을 쓰기 전에 우리가 확인해야 할 요소들
⑤ 학생들에게 유용한 피드백을 주는 방법

해설

우리는 때로 두려운 것들을 해야 하는데 이는 성공은 대개 고난과 실패를 필요로 하기 때문이며, 이 과정에서 자신의 능력을 계발할 수 있는 새로운 것들을 배우게 될 것이라고 했다. 용감해지는 것은 당신의 능력을 계발하도록 도와준다는 주제문의 내용으로 보아 글의 주제로 가장 적절한 것은 ②이다.

▌오답 분석 ①, ③은 글의 중심 소재인 risk가 사용되었으나, 이것을 미리 관리하거나 이것이 개인 성장의 장애물이라는 내용은 글의 중심 내용과 관련이 없으므로 오답이다. ④, ⑤은 글의 중심 소재가 포함되지 않았으므로 오답이다.

구문 풀이

[2행] You might feel scared **to let anyone read it** before you are sure [(that) it is perfect].

→ to let 이하는 '누군가가 그것을 읽게 하다'라는 의미로, [감정의 원인]을 나타내는 to부정사의 부사적 용법으로 쓰였다.

→ 「be sure + that절」은 '~을 확신하다'라는 의미로, 여기서는 명사절 접속사 that이 생략되어 있다.

[5행] **[Let other people read** your story] to get some feedback.

→ [ ]는 동사원형 let으로 시작하는 명령문이다.
→ 「let + 목적어 + 동사원형」은 '~가 …하도록 하다'라는 의미이다.

[5행] You may feel discouraged at first, but you'll also learn **something new** about your writing.

→ something과 같이 -thing으로 끝나는 대명사는 형용사가 뒤에서 수식한다. 이 문장에서는 형용사 new가 대명사 something을 뒤에서 수식하여, '무언가 새로운 것'이라고 해석한다.

Chapter 2
추론하며 읽기

기초 쌓기

본문 p. 36

해석

① 호기심은 새로운 기회들과 지식으로의 문을 연다. ② 답을 찾으려는 우리의 필요는 놀라운 발견으로 이어질 수 있다. ③ 예를 들어, 밤하늘을 빤히 올려다보는 고대 인간들을 상상해보자. ④ 별에 대한 그들의 호기심은 천문학으로 이어졌고 우주에 대한 우리의 기본적인 생각을 바꾸어 놓았다. ⑤ 호기심은 우리가 모르는 것으로의 여정을 시작하게 만든다.

Let's Try

1 ③ 2 ②

1

해석

[A] 인체는 소량의 금을 함유하고 있는데, 이것은 우리의 몸이 기능하도록 도와준다. [B] 그것은 우리가 더 쉽게 움직일 수 있도록 해주는데 왜냐하면 금은 우리의 무릎과 팔꿈치가 제대로 작동하게 하기 때문이다. [C] 게다가, 뇌는 금 덕분에 몸에 신호를 더 쉽게 보낼 수 있다. [D] 달리 말하면, 금은 인체가 더 잘 작동할 수 있게 해 준다.

① 자다, [B] ② 먹다, [C] ③ 기능하다, [D]

2

해석

[A] Carla는 그녀의 강아지 Rex를 훈련시키는 데 몇 주를 보냈고, 그(Rex)는 강아지 공원에서의 그의 첫날을 보낼 준비가 되었다. [B] 다른 강아지들이 서로를 보고 짖고 싸웠던 반면, Rex는 조용히 있으며 Carla의 지시들을 기다렸다. [C] 그녀는 Rex를 향해 미소 지었고, 그의 머리를 쓰다듬었고 "착한 아이야"라고 말했다.

① 슬픈, [A] ② 자랑스러운, [C] ③ 무서운, [B]

독해원리 3 | 주제문을 단서로 추론하기

본문 p. 38

기출로 확인하기

정답 ⑤

해석

발달 과학자들 사이에서 가장 일반적인 견해는 사람들이 그들 자신의 발달에 능동적인 기여자라는 것이다. 사람들은 사회적 환경에 의해 영향을 받을 뿐만 아니라 그것과 상호 작용함으로써, 그들의 발달에 영향을 주는 데에 한몫을 한다. 심지어 유아들도 그들 주변의 세상에 영향을 주고 그들의 상호 작용을 통해 그들 자신을 발달시킨다. 바라보는 각각의 어른에게 미소 짓는 유아를 생각해 보라. 어른들이 미소 짓고, "아기 말"을 사용하고, 그리고 그와 함께 놀아줄 것이기 때문에 그는 자신의 세상에 영향을 준다. 그 유아는 어른들과 일대일 상호 작용을 하고 학습의 기회를 만든다. 그들 주변의 세상을 끌어들임으로써, 모든 연령대의 개인들은 "그들 자신의 발달을 생산하는 사람"이다.

① 그들 세대의 거울
② 사회적 갈등에 대응하는 방패
③ 그들 자신의 진로를 탐색하는 사람
④ 그들의 어린 시절 꿈을 쫓는 사람
⑤ 그들 자신의 발달을 생산하는 사람

해설
사람들은 자신들의 사회적 환경과 상호 작용하여 스스로 발달하는 데 영향을 준다는 내용의 글로, 자기 자신의 발달에 능동적인 기여자라는 주제문의 내용으로 보아 빈칸에 들어갈 말로 가장 적절한 것은 ⑤이다.
▌오답 분석 ①, ②, ④은 사람들이 그들 자신의 발달에 능동적인 기여자라는 주제문의 내용과 관련이 없으므로 오답이다. ③의 career path는 글의 중심 소재와 관련이 없으므로 오답이다.

독해력 PLUS
Q1 주제문: The most common view among developmental scientists is that people are active contributors to their own development.
해석: 발달 과학자들 사이에서 가장 일반적인 견해는 사람들이 그들 자신의 발달에 능동적인 기여자라는 것이다.
Q2 contributors, manufacturers

구문 풀이

[2행] People are **not only** influenced by the social context **but also** play a role in influencing their development *by interacting* with it.
→ 「not only A but also B」는 'A뿐만 아니라 B도'라는 의미이다.
= 「B as well as A」
→ 「by + v-ing」는 '~함으로써, ~해서'라는 의미로 수단이나 방법을 나타낸다.

[3행] Even infants influence the world around them and develop **themselves** through their interactions.
→ develop의 목적어가 주어(infants)와 같은 대상이므로 재귀대명사(themselves)가 쓰였다.

[4행] Consider an infant [who smiles at each adult {(whom/who/that) he sees}].
→ [ ]는 앞에 온 선행사 infant를 수식하는 주격 관계대명사절이다.
→ { }는 앞에 온 선행사 each adult를 수식하는 목적격 관계대명사절로, 목적격 관계대명사 whom/who/that이 생략되어 있다.

독해원리 3 적용 Practice

본문 p. 40

1 ③ 2 ① 3 ③ 4 ⑤

1

정답 ③

해석
과학자들은 나무들이 서로 협력한다는 것을 발견했다. 최근까지 각각의 나무는 자원을 두고 다른 나무들과 경쟁하는 고립된 생물로 간주되었다. 그러나 최근 연구는 이것이 사실이 아니라는 것을 분명히 했다. 구체적으로, 나무의 뿌리들은 나무들이 서로 물과 영양분을 나누도록 해주는 균류로 된 실에 의해 서로 이어져 있다. 크고 오래된 나무들이 작고 어린 나무들에게 이러한 물질들을 전달하는 것은 특히 흔하다. 게다가 어떤 나무가 거의 죽은 상태일 때, 그것은 그것의 자원 대부분을 근처의 나무들에게 준다. 이런 식으로 나무들은 무언가 공동체와 같은 것을 만들어 낸다.

① 계획 ② 공간
③ 공동체 ④ 갈등
⑤ 은신처

해설
각각의 나무들은 고립된 생물로 있는 게 아니라 균류로 된 실에 의해 뿌리가 연결되어 물과 영양분을 나눈다는 내용의 글이다. 과학자들이 나무들이 서로 협력한다는 것을 발견했다는 주제문의 내용으로 보아 빈칸에 들어갈 말로 가장 적절한 것은 ③이다.
▌오답 분석 ①, ②, ⑤은 나무들이 서로 협력한다는 주제문의 내용과 관련이 없으므로 오답이다. ④은 나무들이 서로 협력한다는 주제문의 내용과 반대되므로 오답이다.

독해력 PLUS
Q1 주제문: Scientists have discovered that trees cooperate with each other.
해석: 과학자들은 나무들이 서로 협력한다는 것을 발견했다.
Q2 ①

구문 풀이

[2행] However, recent research has **made *it* clear** [that this is not the case].
→ 「make + 목적어 + 형용사」는 '~을 …하게 만들다'라는 의미이다.
→ it은 가목적어이고, that 이하가 진목적어이다. 이때 가목적어 it은 따로 해석하지 않는다.

[3행] Specifically, the roots of trees are joined together by threads of fungi [that **allow the trees to share** water and nutrients with each other].
→ [ ]는 앞에 온 선행사 threads of fungi를 수식하는 주격 관계대명사절이다.
→ 「allow + 목적어 + to-v」는 '~가 …하도록 (허락)하다'라는 의미이다.

[4행] **It** is especially common *for large old trees* **to send** these substances to small young ones.

→ It은 가주어이고, to send 이하가 진주어이다. 이때 가주어 it은 따로 해석하지 않는다.

→ for large old trees는 to부정사의 의미상 주어로, to부정사(to send)가 나타내는 동작의 주체이다.

2

정답 ①

해석

사람들은 새로운 게임이나 스포츠를 배울 때, 그들의 실제 실력보다 그것을 더 잘한다고 종종 생각한다. 예를 들어, 사람들이 체스를 두는 것을 처음 시작할 때 보통 많이 향상한다. 그들은 그들이 나아지고 있다는 것에 신이 나서, 상급 선수들을 상대로 겨룰 준비가 되었다고 생각한다. 하지만, 그들은 자신들의 체급 위로 주먹을 내지르지 말아야 한다. 상급 선수들은 지식이 더 많다. 그들은 초보자들을 항상 쉽게 이길 것이다. 이는 일부 초보자들이 체스에 대해 나쁘게 느끼고 그만두게 할 것이다. 초보자들은 경험을 얻고 향상할 더 많은 기회를 가지도록 비슷한 실력 수준에 있는 사람들과 겨루어야 한다.

① 그들의 수준을 넘어서는 어떤 것을 하려고 하다
② 상급 기술을 배우기를 거부하다
③ 더 낮은 수준의 사람들과 체스를 두다
④ 지식의 부족에 대해 걱정하다
⑤ 그들이 하는 모든 경기를 이기려고 하다

해설

체스 초보자들이 자신이 준비가 되었다고 생각한 나머지 상급 선수들과 겨루게 되면, 체스에 대해 나쁘게 느끼고 그만두게 될 수도 있다고 했다. 또한, 초보자들은 비슷한 실력 수준에 있는 사람들과 겨루어야 한다는 주제문의 내용으로 보아 밑줄 친 '체급 위로 주먹을 내지르지'의 의미로 가장 적절한 것은 ①이다.

오답 분석 ②, ④, ⑤은 초보자들은 비슷한 실력 수준의 사람들과 겨루어야 한다는 주제문의 내용과 관련이 없으므로 오답이다. ③은 글에서 자신보다 낮은 수준의 사람들과 겨루라고 하지는 않았으므로 오답이다.

독해력 PLUS

1 배울　2 더 잘한다　3 예를 들어　4 향상한다　5 상급
6 준비　7 위로　8 지식　9 쉽게
10 이길[패배시킬]　11 그만두게[포기하게]　12 얻고
13 비슷한

구문 풀이

[5행] This will **cause some new players to feel** bad about chess and **give up**.

→ 「cause + 목적어 + to-v」는 '~(이)가 …하게 만들다, 야기하다'라는 의미이다. 여기서는 to feel과 (to) give up이 등위접속사 and로 연결되어 쓰였다.

[6행] Beginners should play with people at a similar skill level **so that** they have more chances to gain experience and improve.

→ so that은 부사절을 이끄는 접속사로, '~하도록'이라는 의미이다.

3

정답 ③

해석

사회 심리학자 Robert Zajonc(로버트 자욘스)에 의한 한 실험에서, 사람들에게 일련의 다양한 그림들이 보여졌다. 각 그림들은 1초도 안 되는 시간 동안 볼 수 있었기 때문에, 참가자들은 그것들을 쉽게 알아볼 수 없었다. 그들은 이 그림들 가운데 일부는 반복해서 본 반면, 다른 그림들은 오직 한 번만 보여졌다. 그 다음, 그들은 그들의 감정과 그들이 본 것들에 대해 어떻게 느끼는지를 묘사했다. 자욘스는 사람들이 그림을 이미 여러 번 보았을 때 그것들을 더 좋아했다는 것을 알아냈다. 이 실험은 단순 노출 효과의 한 사례이다. 그것은 사람들이 이전에 여러 번 마주쳤던 적이 있는 것들을 좋아한다는 개념이다. 그것은 심지어 우리가 무언가를 보고 있다는 것을 인지하지 않을 때도 일어날 수 있다. 따라서 우리가 무엇인가를 좋아하는지 혹은 싫어하는지는 우리가 그것을 얼마나 많이 보았느냐에 달려 있다.

⬇

사람들은 단지 (B) 익숙하기 때문에 사물에 대해 (A) 긍정적인 감정을 갖는다.

	(A)		(B)
①	부정적인	……	반복적인
②	긍정적인	……	지지하는
③	긍정적인	……	익숙한
④	불쾌한	……	눈에 띄는
⑤	불쾌한	……	독특한

해설

사람들은 자신들이 여러 번 마주쳤던 것들을 좋아한다는 단순 노출 효과에 대한 글이다. 우리가 무엇인가를 좋아하거나 싫어하는 것은 우리가 그것을 얼마나 많이 보았느냐에 달려 있다는 주제문의 내용으로 보아 요약문은 '사람들은 단지 (B) 익숙하기 때문에 사물에 대해 (A) 긍정적인 감정을 갖는다'는 내용이 되어야 한다. 따라서 빈칸에 들어갈 말로 가장 적절한 것은 ③이다.

독해력 PLUS

Q1 주제문: So, whether we like or dislike something depends on how many times we've seen it.
해석: 따라서 우리가 무엇인가를 좋아하는지 혹은 싫어하는지는 우리가 그것을 얼마나 많이 보았느냐에 달려 있다.

Q2 ②

구문 풀이

[1행] In an experiment by social psychologist Robert Zajonc, people **were shown** a series of different images.

→ 「A be shown B」는 'A에게 B가 보여지다'라는 의미로, 「show + 간접목적어(A) + 직접목적어(B)」에서 간접목적어를 주어로 만든 수동태 표현이다. 여기서는 people이 간접목적어, a series of different images가 직접목적어이다.

[4행] Then, they described their mood and [how they felt about the things {(which/that) they looked at}].

→ [ ]는 「how + 주어 + 동사」의 의문사가 이끄는 명사절로, 이때 how는 '어떻게'라고 해석한다.

→ { }는 앞에 온 선행사 the things를 수식하는 목적격 관계대명사절로, 목적격 관계대명사 which/that이 생략되어 있다.

[6행] It is **the idea [that** people like things that they*'ve encountered* many times before**]**.

→ the idea와 [ ]는 접속사 that으로 연결된 동격 관계이다. idea, rumor, fact, belief와 같은 추상명사를 보충하기 위해 오는 동격절에서는 접속사 that을 생략할 수 없다.

→ 've encountered는 현재완료 시제(have p.p.)로, 이 문장에서는 과거의 [경험]을 나타내어 '마주쳤던 적이 있다'라고 해석한다. 현재완료 시제로 과거의 [경험]을 나타낼 때는 주로 ever, never, before 등이 함께 쓰인다.

[8행] So, [**whether** we like or dislike something] depends on {how many times we've seen it}.

→ [ ]는 문장의 주어 역할을 하는 명사절로, 이때 명사절 접속사 whether는 '~인지 (아닌지)'라고 해석한다.

→ { }는 「how many times + 주어 + 동사」의 의문사가 이끄는 명사절로, 이때 how many times는 '얼마나 많이, 몇 번'이라고 해석한다.

4

정답 ⑤

해석

쏠배감펭은 숨는 데 능숙하기 때문에 다른 물고기를 잡는 것에 아주 뛰어나다. 그것들은 위험한 사냥꾼들이다. 그것들은 주변 바위와 어울리는 붉은색, 갈색, 흰색 줄무늬를 가지고 있으며, 그것들의 긴 지느러미는 마치 해양 식물처럼 생겼다. 그래서 그들이 움직이지 않을 때는, 그들을 알아차리기가 매우 어렵다. 사냥할 시간일 때, 쏠배감펭은 그저 다른 물고기가 가까이 오기를 기다린다. 먹잇감은 가까이에 위험이 있다는 것을 깨닫지조차 못한다. 일단 그것(먹잇감)이 충분히 가까이 오면, 쏠배감펭은 먹잇감을 공격해서 그것을 한 입에 크게 삼킨다. 계속 눈에 띄지 않고 있는 능력은 쏠배감펭을 성공적인 포식자로 만든다.

① 거대해지는
② 먹잇감을 추적하는
③ 더 빠르게 헤엄치는
④ 색을 바꾸는
⑤ 계속 눈에 띄지 않고 있는

해설

쏠배감펭은 숨는 데 능숙하기 때문에 다른 물고기를 잡는 것에 아주 뛰어나다는 주제문의 내용으로 보아, 빈칸에 들어갈 말로 가장 적절한 것은 ⑤이다.

▌오답 분석 ②, ④은 각각 글에 언급된 단어인 prey와 color를 사용했으나 주제문의 내용과 관련이 없으므로 오답이다.

독해력 PLUS

1 숨는 2 잡는 3 위험한 4 바위 5 어울리는
6 줄무늬 7 해양[바다] 8 움직이지 9 알아차리기 10 사냥
11 가까이 12 먹잇감 13 위험 14 충분히 15 공격
16 삼킨다 17 계속 눈에 띄지 않고 있는 18 포식자

구문 풀이

[3행] So when they are not moving, **it** is very difficult **to notice them**.

→ it은 가주어이고, to notice them이 진주어이다. 이때 가주어 it은 따로 해석하지 않는다.

[5행] **Once** it gets *close enough*, the lionfish attacks the prey and swallows it in one big bite.

→ once는 '일단 ~하면, ~하자마자'라는 의미로, 부사절을 이끄는 접속사로 쓰여 뒤에 「주어 + 동사」의 절이 왔다.

→ 「형용사/부사 + enough + (to-v)」는 '충분히 …한/하게'라는 의미이다. 여기서는 '충분히 가까이'이라고 해석한다.

독해원리 4 | 특정 표현을 단서로 추론하기 본문 p. 44

기출로 확인하기

정답 ①

해석

Jones 씨께,

저는 KHJ사의 홍보부 이사 James Arkady입니다. 저희는 저희 회사의 창립 10주년을 기념하기 위해서 저희 회사 브랜드 정체성을 다시 설계하고 새로운 로고를 선보이려고 계획 중입니다. 저희는 당신에게 저희 회사의 핵심 비전인 '인류애를 고취시키기'에 가장 적합한 로고를 제작해주시기를 요청합니다. 저는 새로운 로고가 저희 회사의 브랜드 메시지를 전달하고 KHJ의 가치를 담기를 바랍니다. 로고 디자인 제안서가 일단 완성되면 저희에게 보내 주십시오. 감사합니다.

James Arkady 드림

해설

회사의 핵심 비전에 적합한 로고 제작을 요청한다는 표현으로 보아 글을 쓴 목적으로 가장 적절한 것은 ①이다.

독해력 PLUS

Q1 문장: We request you to create a logo that best suits our company's core vision, 'To inspire humanity.'
해석: 저희는 당신에게 저희 회사의 핵심 비전인 '인류애를 고취시키기'에 가장 적합한 로고를 제작해주시기를 요청합니다.

Q2 ②

구문 풀이

[3행] We request you to create a logo [that best suits our company's core vision, 'To inspire humanity.']

→ [ ]는 앞에 온 선행사 a logo를 수식하는 주격 관계대명사절이다.

독해원리 4 적용 Practice

본문 p. 46

1 ④ 2 ③ 3 ② 4 ⑤

1

정답 ④

해석

Atwater 씨께,

저희는 학교 축제에서 공연하게 되어 정말 들떠 있습니다. 저희 탭 댄스 팀원들은 지난 4월부터 연습을 많이 하고 있습니다. 그리고 이제, 공연까지 고작 2달이 남았습니다. 몇몇 팀원들은 저녁에도 추가 연습을 하기를 원하지만, 저희가 현재 사용하는 연습실은 오후 동안에만 열려 있습니다. 그래서, 저희가 저녁에 연습을 위해 사용할 수 있는 다른 방이 있는지 궁금합니다. 공연을 준비할 수 있도록 저희를 도와주셔서 감사합니다.

Jessica Schwartz 드림

해설

학교 축제에서 공연할 탭 댄스 동아리가 연습을 위해 저녁에도 사용이 가능한 연습실이 있는지 궁금하다고 하는 표현으로 보아 글을 쓴 목적으로 가장 적절한 것은 ④이다.

독해력 PLUS

Q1 문장: So, I am wondering if there is another room that we could use for practice in the evening.
해석: 그래서, 저희가 저녁에 연습을 위해 사용할 수 있는 다른 방이 있는지 궁금합니다.

Q2 ②

구문 풀이

[2행] Our tap dance team members **have been practicing** a lot since last April.

→ 「have/has been + v-ing」는 현재완료진행 시제로, 과거에 시작된 일이 현재까지도 계속 진행 중임을 강조하여 나타낸다.

[4행] ~ but the room [that we use now] is only open during the afternoon.

→ [ ]는 앞에 온 선행사 the room을 수식하는 목적격 관계대명사절이다. 이때 목적격 관계대명사 that은 생략하거나 which로 바꿔 쓸 수 있다.

2

정답 ③

해석

Carl은 공항 직원이 마이크를 통해 말을 하려고 준비하는 것을 보았다. "신사 숙녀 여러분께 알려드립니다, 524편 항공기가 4시간 더 지연될 것이라는 소식을 전하게 되어 죄송합니다"라고 직원이 말했다. Carl은 두리번거렸다. 그와 그의 가족은 공항에서 하루 종일 기다렸었다. 그는 식사를 했고, 책을 읽었으며, 휴대폰을 했고, 심지어 영화까지 봤다. Carl은 무엇을 할지 몰랐다. 그의 부모님은 두 분 다 자고 있었기에, 그는 그들에게 말을 건넬 수도 없었다. 그는 한숨을 쉬며 시계를 쳐다봤다. Carl은 시간이 더 빠르게 가기를 바랐다.

① 평온한
② 긴박한
③ 지루한
④ 신나는
⑤ 무서운

해설

Carl과 그의 가족은 공항에서 하루 종일 기다렸고(had waited at the airport all day), 무엇을 할지 몰랐고(didn't know what to do), 한숨을 쉬며(sighed) 시간이 더 빠르게 가기를 바랐다(wished the time would go faster)는 표현들로 보아 글의 분위기로 가장 적절한 것은 ③이다.

독해력 PLUS

1 직원 2 준비 3 지연될
4 두리번거렸다[눈을 굴렸다] 5 기다렸었다 6 심지어
7 무엇을 할지 8 한숨을 쉬며[쉬고] 9 쳐다봤다 10 시간
11 더 빠르게

구문 풀이

[1행] Carl **watched the airport employee prepare** to speak into the microphone.

→ 「watch + 목적어 + 동사원형」은 '~가 …하는 것을 보다'라는 의미이다.

[3행] He and his family **had waited** at the airport all day.

→ had waited는 과거완료 시제(had p.p.)로, 이 문장에서는 과거의 특정 시점보다 더 이전에 발생한 일을 나타낸다. 여기서는 Carl과 그의 가족들은 직원이 연착을 알리기 전부터 공항에서 기다렸다는 의미이다.

[4행] Carl didn't know **what to do.**

→ 「what + to-v」는 '무엇을 ~할지'라는 의미로, 이 문장에서는 didn't know의 목적어 역할을 하고 있다. 「의문사 + to-v」는 문장의 주어, 보어 또는 목적어 역할을 한다.
= 「what + 주어 + should + 동사원형」

3

정답 ②

해석

학생 여러분들께,

학년의 마지막 날이 곧 다가옵니다. 고등학교 도서관은 올해 이렇게 많은 학생분들이 책을 빌렸다는 것에 기쁩니다. 여러분도 알고 계시듯이, 도서관은

겨울 방학 동안 모든 도서 목록을 최신화할 것입니다. 작업을 제대로 시작하기 위해, 저희가 모든 책들을 소장하고 있는지를 확실히 해 두어야 합니다. 따라서, 저희는 모든 빌린 도서들을 11월 마지막 날 전에 반납해 주시기를 여러분께 요청드립니다. 언제나처럼 여러분은 안내 데스크나 도서관 입구 바깥에 있는 투입함에 책들을 반납하시면 됩니다. 여러분의 협조에 감사드립니다.

도서관 관리자 Peter Gagliano 드림

해설

도서관의 도서 목록 최신화 작업에 앞서 모든 빌린 도서들을 반납해 주기를 학생들에게 요청한다는 표현으로 보아 글을 쓴 목적으로 가장 적절한 것은 ②이다.

독해력 PLUS

Q1 문장: Therefore, we would like to ask you to return all borrowed books before the last day of November.
해석: 따라서, 저희는 모든 빌린 도서들을 11월 마지막 날 전에 반납해 주시기를 여러분께 요청드립니다.

Q2 ①

구문 풀이

[3행] As you are aware, the library will update all the book lists **during** winter vacation.

→ 전치사 during은 '~ 동안'이라는 의미이다. during 뒤에는 특정 기간을 나타내는 명사가 온다.

[4행] **To start the project properly**, we have to *make sure* [that we have all of our books].

→ to start 이하는 '작업을 제대로 시작하기 위해'라는 의미로, [목적]을 나타내는 to부정사의 부사적 용법으로 쓰였다.
→ 「make sure + that절」은 '~을 확실히 하다, 반드시 ~하도록 하다'라는 의미이다. = 「make sure + to-v」

4

정답 ⑤

해석

Iris는 학교 복도를 빠르게 걸어 내려오면서 입이 귀에 걸릴 만큼 웃었다. 오늘이 바로 그 날이었다. 학교는 새 연극의 배우들을 발표할 예정이었다. Iris는 그녀의 오디션에서 정말 잘 했기에, 그녀는 그녀가 주인공 역을 따낼 것이라 확신했다. "저기 있군!" 그녀가 말했다. 명단이 벽에 붙어 있었고, 그 주변으로 사람들이 모여 있었다. "나는 명단을 빨리 보고 싶어!" 하지만 Iris가 마침내 그것을 보았을 때, 그녀는 속이 내려앉는 것을 느꼈다. 그녀의 이름은 거기에 없었다. 그녀는 배역을 따내지 못했던 것이다. Iris는 뒷걸음질 치며 눈물을 참으려 애썼다.

① 걱정하는 → 기쁜
② 부끄러운 → 쾌활한
③ 감동한 → 혼란스러운
④ 무관심한 → 질투하는
⑤ 자신감 있는 → 실망한

해설

Iris는 입이 귀에 걸릴 만큼 웃었고(Iris smiled from ear to ear) 그녀가 새 연극의 주인공 역을 따낼 것이라 확신했다(she was sure)고 했다. 그런데 막상 발표된 명단에는 그녀의 이름이 없었고 그녀는 속이 내려앉는 것을 느꼈다(she felt her stomach drop). Iris는 눈물을 참으려 애썼다(tried to hold in her tears)는 표현들로 보아 Iris의 심경 변화로 가장 적절한 것은 ⑤이다.

독해력 PLUS

1 빠르게	2 웃었다[미소 지었다]	3 배우	4 발표할
5 정말 잘	6 주인공	7 확신	8 주변
9 모여 있었다	10 빨리 보고 싶어	11 하지만	12 느꼈다
13 이름	14 배역	15 눈물	16 참으려

구문 풀이

[2행] Iris had done so well in her audition, so she **was sure** **[**(that) she would get the part of the main character**]**.

→ 「be sure + that절」은 '~을 확신하다'라는 의미로, 여기서는 명사절 접속사 that이 생략되어 있다.

[4행] "I **can't wait to see** the list!"

→ 「can't wait + to-v」는 '빨리 ~하고 싶어 하다, ~할 것을 기다릴 수 없다'라는 의미로, 바람이나 기대를 나타내는 표현이다.

Chapter Test

본문 p. 50

1 ③	2 ④	3 ⑤	4 ③
5 ②	6 ⑤	7 ①	8 ②

1

정답 ③

해석

Bradford 스포츠 클럽 회원 여러분들께,

여러분 모두 아시다시피 Bradford 스포츠 클럽이 개업한 지 한 달이 되어 갑니다. 저희는 많은 분들이 저희 시설에 오셔서 저희의 서비스들을 즐기기로 하셨다는 점에 진심으로 감사드립니다. 감사를 표현하기 위해, 저희는 답례로 여러분께 뭔가를 드리고자 합니다. 그래서, 저희는 테니스, 수영 그리고 요가의 무료 체험 수업에 여러분들을 초대하고자 합니다. 곧 뵐 수 있기를 바랍니다. 감사합니다.

Bradford 스포츠 클럽 관리자 John Miller 드림

해설

새로 개업한 스포츠 클럽에 많은 분들이 와 주신 것에 대한 답례로 테니스, 수영 또는 요가의 무료 체험 수업에 초대한다는 표현으로 보아 글을 쓴 목적으로 가장 적절한 것은 ③이다.

구문 풀이

[3행] We are truly grateful that so many people **have decided** to come to our facility and enjoy our services.

→ have decided는 현재완료 시제(have p.p.)로, 이 문장에서는 과거에 시작된 일이 현재에 끝난 [완료]를 나타낸다.

2

정답 ④

해석

Jennifer가 박물관에 들어섰을 때 그녀의 눈은 휘둥그레졌다. 그녀는 이렇게나 많은 큰 뼈들을 이전에 본 적이 없었다. "어서 오세요 여러분. 여러분들이 저희의 새 전시를 즐기기를 바랍니다"라고 그녀의 관람 가이드가 말했다. Jennifer는 공룡에 대해서는 어떠한 것도 아는 게 없었지만, 그녀는 이제 그것들에 대해 빨리 더 듣고 싶었다. 온 사방에 그것들의 뼈와 사진들이 있었다. 그녀는 관람 가이드가 각각에 대해 이야기하는 동안 주의를 기울여 들었다. 그녀의 그룹이 전시장을 도는 것을 마쳤을 때, 관람 가이드는 혹시 누군가 질문이 있는지를 물었다. Jennifer의 손은 이에 답하여 공중으로 솟아올랐다. 그녀는 더 알게 될 것에 매우 신이 났다.

① 질투하고 화가 난
② 감동스럽고 자랑스러운
③ 불안하고 두려운
④ 놀라고 호기심 많은
⑤ 부끄럽고 죄책감 드는

해설

박물관 안을 둘러보던 Jennifer는 눈이 휘둥그레졌고(her eyes widened), 공룡에 대해서 어떠한 것도 아는 게 없었지만 이제 그것들에 대해 빨리 더 듣고 싶어 했다(she couldn't wait to hear more). 또한, 가이드가 질문이 있는지 묻자 이에 답하여 그녀의 손이 공중으로 올라왔고(Jennifer's hand shot up into the air), 더 알게 될 것에 매우 신이 났다는(so excited to learn more) 표현들로 보아 Jennifer의 심경으로 가장 적절한 것은 ④이다.

구문 풀이

[1행] She **had never seen** so many huge bones before.

→ had never seen은 과거완료 시제(had p.p.)로, 이 문장에서는 과거의 특정 시점보다 더 이전에 발생한 일을 나타낸다. 그녀는 이렇게나 많은 큰 뼈들을 본 적이 그 전까지는 없었다는 의미이다.

[5행] When her group finished going around the exhibit, the tour guide asked [**if** anyone had any questions].

→ [ ]는 asked의 목적어 역할을 하는 명사절로, 이때 명사절 접속사 if는 '~인지 (아닌지)'라고 해석한다.

3

정답 ⑤

해석

우리는 우리의 관심사를 공유하는 사람들과 친구가 되는 경향이 있다. 우리 자신과 비슷한 성격을 가진 사람들로 둘러싸여 있는 것은 안심이 된다. 이러한 열망이 자연스러울 수도 있지만, 이는 사실 건전하지 않다. 특히, 이것은 굉장히 좁은 세계관을 발달시키는 결과로 이어질 수 있다. 이것이 전문가들이 교우 관계를 형성하기 위해 다양한 배경의 사람들을 찾아 내도록 사람들에게 장려하는 이유이다. 그렇게 하는 것은 우리가 새로운 경험을 할 수 있게 하고, 우리의 의사소통 능력을 향상시킨다. 그것은 또한 우리가 동의하지 않는 사람들과 어떻게 협력해야 하는지를 배우도록 도와주기도 한다. 이는 우리가 다양한 사람들과 시간을 보내는 환경에서 가져야 할 중요한 역량이다. 그러므로, 당신이 새로운 친구를 찾을 때, 당신의 거품에서 벗어나라.

① 밖에서 시간을 보내라
② 당신을 존중하는 사람들을 찾아라
③ 그들에게 당신이 가진 최고의 재능을 보여줘라
④ 그들과 취미를 공유하려고 노력해라
⑤ 당신과 비슷한 사람들을 피해라

해설

우리와 비슷한 성격의 사람들로 둘러싸여 있는 것이 결국 좁은 세계관을 발달시키는 결과로 이어질 수 있다고 했다. 대신, 다양한 배경의 사람들을 찾아 나서게 되면 다양한 환경에서 가져야 할 중요한 역량을 향상시킬 수 있다고 했다. 따라서 교우 관계를 형성하기 위해 다양한 배경의 사람들을 찾아 나서라는 주제문의 내용으로 보아 밑줄 친 '당신의 거품에서 벗어나라'의 의미로 가장 적절한 것은 ⑤이다.

오답 분석 ①, ③, ④은 다양한 배경의 사람들을 찾아 나서라는 주제문의 내용과 관련이 없으므로 오답이다. ②은 당신을 존중하는 사람들을 찾으라는 내용은 글에 언급되지 않았으므로 오답이다.

구문 풀이

[1행] We **tend to make** friends with people who share our interests.

→ 「tend + to-v」는 '~하는 경향이 있다'라는 의미이다.

[4행] This is why experts **encourage people to seek out** individuals from different backgrounds to form friendships with.

→ 「encourage + 목적어 + to-v」는 '~가 …하도록 장려하다, 격려하다'라는 의미이다.

[5행] **Doing so** opens us up to new experiences and improves our communication skills.

→ Doing so는 '그렇게 하는 것'이라는 의미로, 이때 so는 앞에 나온 문장의 내용을 대신한다.

[6행] It also helps us to learn how to cooperate with those [(whom/that) we disagree with].

→ [ ]는 앞에 온 선행사 those를 수식하는 목적격 관계대명사절로, 이 문장에서는 목적격 관계대명사 whom/that이 생략되어 있다.

[7행] This is an important ability **to have** in the environments [*where* we spend time with a variety of people].

→ to have 이하는 '가져야 할'이라는 의미로, to부정사의 형용사적 용법으로 쓰여 an important ability를 수식하고 있다.

→ [ ]는 앞에 온 선행사 the environments를 수식하는 관계부사절로, 선행사가 장소이면 관계부사 where를 쓴다. 관계부사는 「전치사 + 관계대명사」로 바꿔 쓸 수 있다.

4

정답 ③

해석

우리가 무언가를 하기로 결정할 때, 우리가 얻을 이득에 대해 떠올리는 것은 쉽다. 하지만 다른 선택들의 가치 역시 중요하다. 우리가 한 가지 일을 하기 위해 시간을 사용한다면, 우리는 다른 일을 하는 데 그 시간을 쓸 수가 없다. 이것은 기회 비용이라고 불린다. 돈을 많이 버는 사람이 그녀의 집을 청소해야 하는 상황을 떠올려보자. 만약에 그녀가 직접 그것을 한다면, 그녀는 청소부에게 돈을 지불하지 않아도 될 것이다. 하지만 동시에, 그녀는 일을 해서 돈을 벌지도 못 할 것이다. 그러므로 그녀가 많은 돈을 버는 동안 집을 청소하도록 누군가에게 돈을 지불한다면 말이 될 것이다. 따라서, 우리는 결정을 내릴 때, 다른 선택들의 값이 얼마인지도 고려해야 한다.

① 얼마나 많은 시간이 필요한지
② 집이 깨끗한지 아닌지
③ 다른 선택들의 값이 얼마인지
④ 우리에게 더 많은 사람이 필요할 수 있다는 것
⑤ 우리가 값비싼 물건을 살 여유가 있을지

해설

우리가 어떤 일을 하기로 결정하게 되면, 다른 일을 하는 데 시간을 쓸 수 없다는 기회 비용에 관한 내용이다. 무언가를 하기로 결정할 때 다른 선택들의 가치 역시 중요하다는 주제문의 내용으로 보아, 빈칸에 들어갈 말로 가장 적절한 것은 ③이다.

구문 풀이

[3행] Imagine that someone [who makes a lot of money] needs to clean her house.

→ [ ]는 앞에 온 선행사 someone을 수식하는 주격 관계대명사절이다.

[4행] **If** she ***did*** *it* herself, she **wouldn't have** to pay a cleaning person.

→ 「If + 주어 + 동사의 과거형 ~, 주어 + would/could/should/might + 동사원형 …」은 가정법 과거로, '만약 ~한다면 …할 것이다'라는 의미이다. 이 문장에서는 그녀가 돈을 벌러 가게 되어 직접 집 청소를 하지 않는 사실에 대한 반대 상황을 가정하고 있다.

→ did it은 동사(구)의 반복을 피하기 위해 쓰였다. 여기서는 앞의 clean her house를 대신하고 있다.

→ 문장의 주어(she)를 강조하기 위해 재귀대명사 herself가 쓰였다. 이때의 재귀대명사는 '직접, 자신이'라고 해석하며, 생략할 수 있다.

5

정답 ②

해석

심리학자 Elton Mayo(엘튼 메이요)는 업무 환경의 특정한 변화가 근로자들이 얼마나 일을 잘하는지에 영향을 주는지를 알아내고자 했다. 그래서 그는 근무지에 있는 두 집단의 사람을 관찰했다. 한 집단에서는, 그는 이전과 동일한 스케줄과 환경을 유지했다. 그러나, 다른 집단에서는, 그는 쉬는 시간을 조정하거나 공장 조명을 조절하는 등의 변화를 주었다. 메이요는 바뀐 환경에 있던 집단의 생산성이 향상되었다는 것을 발견해서 놀랐다. 심지어 사람들이 안에서 일하고 있는 방을 어둡게 만드는 것처럼 변화가 알고 보니 부정적이었을 때도 이것(생산성이 향상되는 것)이 일어났다. 사실, 다양한 것들이 계속 바뀔 때, 참가자들은 누군가가 자신들의 업무 태도와 환경에 관심이 있는 것 같은 느낌을 받았다. 근로자들은 그 결과 더 열심히 일할 필요를 느꼈다. 달리 말해, 그들은 관심 때문에 그들이 일하는 방식을 개선시키려 노력했다.

⬇

공장의 근로자들은 그들이 (B) 관찰당하고 있다는 것을 알아차렸을 때 그들의 태도를 (A) 변화시켰다.

	(A)		(B)
①	변화시켰다	……	칭찬받는
②	변화시켰다	……	관찰당하는
③	보고했다	……	지시받는
④	보고했다	……	격려받는
⑤	조절했다	……	처벌받는

해설

변화하는 근로 환경에 있던 근로자 집단은 평소와 같은 환경에서 일한 집단에 비해 생산성이 향상되었는데, 이는 누군가 자신들의 업무에 주목하고 있다는 느낌을 받았기 때문이라는 내용의 글이다. 즉, 관심을 받고 있었기 때문에 일하는 방식을 개선시키려 노력했다는 주제문의 내용으로 보아, 요약문은 '공장의 근로자들은 그들이 (B) 관찰당하고 있다는 것을 알아차렸을 때 그들의 태도를 (A) 변화시켰다'는 내용이 되어야 하므로 빈칸에 들어갈 말로 가장 적절한 것은 ②이다.

구문 풀이

[1행] Psychologist Elton Mayo tried to find out [**if** certain changes in a work situation would affect {how well employees perform}].

→ [ ]는 find out의 목적어 역할을 하는 명사절로, 이때 명사절 접속사 if는 '~인지 (아닌지)'라고 해석한다.

→ { }는 「how + 부사 + 주어 + 동사」의 의문사가 이끄는 명사절로, 이때 how는 '얼마나'라고 해석한다.

[5행] Mayo was surprised **to find** that the productivity of the group in the altered situation increased.

→ to find 이하는 '~을 발견해서'라는 의미로, [감정의 원인]을 나타내는 to부정사의 부사적 용법으로 쓰였다.

[7행] In fact, when different things **kept changing**, the participants *felt like* someone was concerned about their work behavior or environment.

→ 「keep + v-ing」는 '계속해서 ~하다'라는 의미이다. keep은 목적어로 동명사를 쓴다.

→ feel like은 '~같은 느낌을 받다'라는 의미이다. 이때 like은 '~하는 것 같은'이라는 의미의 접속사로 쓰였다.

6

정답 ⑤

해석

나는 경기장을 보고 땀을 흘리기 시작했다. 새로운 팀과 함께 연습을 하는 나의 첫날이었다. 나는 한 무리의 여자아이들을 보았고, 그들을 향해 슬그머니 걸어갔다. "너희가 여자 축구부니?"라고 물어봤을 때 나의 속이 더부룩했다. "응"이라고 그들 중 한 명이 대답했다. "네가 Sarah구나! 너를 만나서 정말 기뻐!" 모든 여자아이들은 나를 향해 미소 지었고, 나에게 질문을 하기 시작했다. 그들 모두 말을 붙이기가 정말 편했다. 그 이후에 우리는 연습을 했고, 나는 내내 웃음을 멈추지 못했다. 내가 해본 것 중 최고의 축구 연습이었다.

① 갈망하는 → 겁먹은
② 소망하는 → 우울한
③ 무관심한 → 슬픈
④ 기분이 상한 → 자랑스러운
⑤ 걱정하는 → 즐거워하는

해설

'I'는 경기장을 바라보면서 땀을 흘리기 시작했고(began to sweat), 축구부 여자아이들에게 질문을 했을 때 속이 더부룩했다(My stomach felt heavy). 그러나 이들은 'I'를 만나서 기뻐했고, 'I'는 연습 내내 웃음을 참지 못했으며 (couldn't stop laughing), 'I'가 해본 것 중 최고의 축구 연습(the best soccer practice I had ever had)이었다는 표현으로 보아 'I'의 심경 변화로 가장 적절한 것은 ⑤이다.

구문 풀이

[5행] They were all so easy **to talk to**.

→ to talk to는 '말을 붙이기가'라는 의미로, to부정사의 부사적 용법으로 쓰여 형용사 easy를 수식하고 있다.

[6행] It was the best soccer practice [(that) I had ever had].

→ [ ]는 앞에 온 선행사 the best soccer practice를 수식하는 목적격 관계대명사절로, 목적격 관계대명사 that이 생략되어 있다.

7

정답 ①

해석

만약 당신이 팀에 속해 있다면, 당신 자신의 주방에서 요리를 하는 것이 좋을 것이다. 팀에 소속된 각자에게는 임무가 있다. 또한, 모두에게 강점과 약점이 있다. 좋은 팀에서는, 모두가 그들이 능숙한 일을 한다. 예를 들어, 당신이 만약 계산하는 것에 재능이 있다면, 당신은 아마도 숫자를 다루는 업무들을 맡게 될 것이다. 예술적 감각이 있는 다른 팀원은 이미지를 다루는 모든 일을 할 것이다. 하지만, 만약 당신이 그 예술적인 감각이 있는 사람을 돕기 위해 당신의 업무를 제쳐 둔다면, 팀은 생산성이 떨어지게 될 것이다. 비록 당신이 좋은 일을 하려고 하더라도, 예술은 당신의 강점이 아니다. 따라서, 당신이 제일 잘하는 업무에 몰두한 채로 있어라, 그러면 당신의 팀은 효율적으로 힘을 합치게 될 것이다.

① 당신이 잘하는 일을 하다
② 업무를 위해 다양한 능력을 개발하다
③ 당신의 업무 공간에 익숙해지다
④ 다른 사람들과 안전한 거리를 유지하다
⑤ 당신의 팀원들과 소통하다

해설

팀에 소속된 모두에게는 각자의 임무가 있기 때문에 좋은 취지로 남을 돕더라도 자신이 능숙한 일이 아니라면 생산성이 떨어질 수 있다고 했다. 따라서 당신이 제일 잘하는 업무에 집중하면 팀이 효율적으로 힘을 합칠 수 있다는 주제문의 내용으로 보아 밑줄 친 '당신 자신의 주방에서 요리를 하는 것'의 의미로 가장 적절한 것은 ①이다.

▌오답 분석 ②은 팀에서 당신이 제일 잘하는 일을 하라고 한 것이지 다양한 능력을 개발하라고 하지는 않았으므로 오답이다.

구문 풀이

[4행] Another team member [who is very artistic] might do all of the jobs with images.

→ [ ]는 앞에 온 선행사 Another team member를 수식하는 주격 관계대명사절이다.

[5행] However, the team will be less productive if you ignore your own tasks **to help the artistic person.**

→ to help 이하는 '그 예술적인 감각이 있는 사람을 돕기 위해'라는 의미로, [목적]을 나타내는 to부정사의 부사적 용법으로 쓰였다.

[6행] **Even though** you are trying to do a nice thing, art is not your strong point.

→ Even though는 부사절을 이끄는 접속사로, '비록 ~하더라도'라는 의미이다.

8

정답 ②

해석

우리는 물을 아끼기 위해 많은 것들을 한다. 우리는 샤워를 빨리 하거나 이를 닦는 동안 수도꼭지를 잠글 것이다. 하지만 우리가 집에서 사용하는 물은 우리의 물 발자국의 아주 작은 부분일 뿐이다. 우리의 물 사용의 큰 부분은 사실 우리가 먹는 음식에서 비롯된다. 예를 들어 일반적인 크기의 스테이크 하나를 생산하는 데에 약 900갤런의 물이 든다. 이는 소들이 아주 많은 곡물을 먹어야 하고, 이 곡물들이 자라는 데 너무 많은 물이 들기 때문이다. 다른 육류와 유제품을 생산하는 데에도 많은 물이 든다. 반면 과일과 채소는 보통 생산하는 데 아주 적은 물이 든다. 이는 어떻게 우리의 식사가 우리의 전반적인 물 사용량을 형성하는지를 보여준다.

① 우리의 일상적인 습관에 달려 있다
② 우리가 먹는 음식에서 비롯된다
③ 한 사람의 건강에 영향을 미친다
④ 육류 소비에 영향을 미친다
⑤ 집안일을 포함한다

해설
우리가 집에서 사용하는 물은 우리의 물 발자국의 아주 작은 부분일 뿐이고, 일반적인 크기의 스테이크 하나를 생산하는 데 900갤런의 물이 드는 반면 과일과 채소는 생산하는 데 아주 적은 물이 든다고 했다. 이것은 어떻게 우리의 식사가 전반적인 물 사용량을 형성하는지 보여준다는 주제문의 내용으로 보아 빈칸에 들어갈 말로 가장 적절한 것은 ②이다.

▌오답 분석 ①, ⑤은 우리가 집에서 사용하는 물은 물 발자국의 아주 작은 부분이라는 글의 내용과 반대되므로 오답이다.

구문 풀이

[3행] For example, **it takes around 900 gallons of water to produce** one normal-sized steak.

→ 「it takes + (사람) + 재료/돈/시간 + to-v」는 '(사람이) ~하는 데 …의 재료/돈/시간이 들다, 걸리다'라는 의미이다.

[7행] This shows [how our diets shape our overall water usage].

→ [ ]는 「의문사(how) + 주어 + 동사」의 의문사가 이끄는 명사절로, shows의 목적어 역할을 하고 있다.

Chapter 3

흐름 파악하며 읽기

기초 쌓기

본문 p. 60

해석
① 수백 년 동안, 인간은 도구를 만들고 사용하는 그들의 능력이 동물 세계에서 유일하다고 믿었다. ② 1969년에, **이 생각**은 Jane Goodall 박사에 의해 깨졌다. ③ **그녀**는 침팬지들이 도구를 만들고 사용하는 몇몇 사례를 발표했다. ④ **예를 들어**, 그들은 땅속으로부터 개미들을 빼내기 위해 막대기를 사용했다. ⑤ 침팬지들은 **또한** 특정 일들에 적합하게 만들기 위해 사물을 도구로 개조하기도 했다.

Let's Try

1 ② 2 ①

1

해석
[A] 아이들이 물에서 노는 것을 좋아하는 데에는 많은 이유들이 있다. [B] 물은 재미있게 놀기에 안전한 곳인데 왜냐하면 그들이 넘어져서 다치게 될 가능성이 낮기 때문이다. [C] 게다가 물에서 노는 것은 날씨가 너무 더워질 때 식힐 수 있는 훌륭한 방법이다.

2

해석
[A] 대개, 수컷 개구리들은 암컷 개구리들을 유혹하기 위해 소리를 낸다. [B] 하지만 일부 개구리들은 춤추는 것을 선택하는데 왜냐하면 시끄러운 환경에서는 소리를 내는 것이 도움이 되지 않기 때문이다. [C] 개구리들은 그들의 피부색을 바꿀 수 있다. [D] 그들의 다리들을 움직이고 이리저리 뛰어다님으로써 그들은 암컷들에 의해 쉽게 주목받는다.

독해원리 5 | 흐름에 맞게 글의 순서 배열하기

본문 p. 62

기출로 확인하기

정답 ⑤

해석
다른 문화에 대한 존중과 지식을 발달시키는 방법을 이해하는 것은 간단한 규칙으로 시작된다: "나는 내가 대우받고 싶은 방식으로 다른 사람들을 대한다."

(C) 이 규칙은 어느 수준에서는 말이 된다; 만약 우리가 대우받고 싶은 만큼 다른 사람들을 잘 대한다면 우리는 그 보답으로 잘 대우받을 것이다. 이 규

칙은 모든 사람이 같은 문화적 배경 내에서 일하고 있는 단일 문화 환경에서는 잘 작용한다.
(B) 하지만, 단어와 제스처가 다른 의미를 지닐지도 모르는 다문화 환경에서는 이 규칙이 효과가 없을지도 모른다. 그것은 나의 문화가 너의 것보다 더 낫다는 의도하지 않은 메시지를 보낼 수 있다.
(A) 그것은 또한 우리가 옳은 일을 하고 있다고 생각하나 우리의 행동들은 제대로 해석되지 않는 좌절감을 주는 상황을 만들 수도 있다. 이러한 의사소통 오류는 문제로 이어질 수 있다.

해설
다른 문화에 대한 존중과 지식은 내가 대우받고 싶은 방식으로 남을 대하는 간단한 규칙으로 시작된다는 주어진 글의 내용은 (C)의 This rule로 이어지며, 이 규칙이 어느 수준까지는 말이 된다는 내용으로 이어진다. 단일 문화 환경에서는 이 규칙이 잘 작용한다는 내용은 (B)의 However를 통해 다문화 환경에서는 이 규칙이 효과가 없을지도 모른다는 내용으로 이어지고, 의도하지 않은 메시지를 줄 수 있다고 했다. (A)의 It과 also는 이 규칙이 앞에서 언급된 의도하지 않은 메시지를 줄 수 있다는 내용에 이어 우리의 행동들이 제대로 설명되지 않는 좌절스러운 상황을 만들 수도 있다는 설명을 덧붙이고 있으므로 글의 순서로 가장 적절한 것은 ⑤이다.

독해력 PLUS
Q1 문장: This rule works well in a monocultural setting, where everyone is working within the same cultural background.
해석: 이 규칙은 모든 사람이 같은 문화적 배경 내에서 일하고 있는 단일 문화 환경에서는 잘 작용한다.
Q2 문장: I treat others in the way that I want to be treated.
해석: 나는 내가 대우받고 싶은 방식으로 다른 사람들을 대한다.

구문 풀이

[1행] [**Understanding** how to develop *respect for* and a *knowledge of* other cultures] begins with a simple rule: ~

→ [ ]는 문장의 주어 역할을 하는 동명사구이다.
→ respect 뒤의 전치사 for와 knowledge 뒤의 전치사 of는 둘 다 other cultures를 목적어로 취한다. 반복되는 말(other cultures)은 생략하는 경우가 많다.
= respect for other cultures and a knowledge of other cultures

[5행] However, in a multicultural setting[**, where** words and gestures may have different meanings], this rule may not work.

→ [ ]는 앞에 온 a multicultural setting을 선행사로 가지는 계속적 용법의 관계부사절로, 선행사에 대한 부연 설명을 하기 위해 문장 중간에 삽입되었다. 여기서는 '~한 이곳(다문화 환경)에서는'이라고 해석한다.

[7행] This rule makes sense on some level; if we treat others **as well as** we want to be treated, we will be treated well in return.

→ 「as + 형용사/부사 + as」는 '~만큼 …한/하게'라는 의미이다. 이 문장에서는 '만약 우리가 대우받고 싶은 만큼 잘'이라고 해석한다.

독해원리 5 적용 Practice

본문 p. 64

1 ⑤ 2 ② 3 ③ 4 ⑤

1

정답 ⑤

해석
(A) 한 회사원이 업무 회의를 위해 한 작은 도시에 도착했다. 그는 첫날에 해야 할 일이 많았기 때문에, 택시 운전사에게 서둘러 호텔로 가 달라고 말했다.
(D) "여기에 전에 와 보신 적이 있으세요?"라고 그곳으로 가는 길에 운전사가 물었다. "아뇨. 전 그저 업무 때문에 여기에 왔어요"라고 회사원이 답했다. 그는 그들이 호텔로 이동하면서 살펴볼 몇몇 서류들을 꺼냈다.
(C) 그러고 나서 택시 운전사는 창밖을 가리켰다. "가끔씩은요, 일보다 더 중요한 것들이 있답니다"라고 그가 말했다. 회사원은 고개를 들었다.
(B) 그가 본 것은 짙은 푸른 빛의 바다와 백색의 모래사장이었다. 그는 놀라서 숨을 깊이 들이마시고는 서류들을 서서히 내려놓았다. "아름답군요"라고 그가 속삭였다.

해설
한 회사원이 어떤 도시에 도착하여 택시를 탄 (A)의 상황은 (D)에서 택시 운전사가 그에게 이곳에 와 본 적이 있는지를 묻는 내용으로 이어진다. (D)에서 회사원이 업무 때문에 이곳에 왔다고 대답했고, 호텔로 향하는 동안 서류들을 꺼냈다는 내용은 (C)에서 그러자 택시 운전사가 창밖을 가리키며 일보다 더 중요한 것들이 있다고 말하는 내용으로 이어진다. (C)에서 택시 운전사의 말에 고개를 든 회사원은 (D)에서 바다와 모래사장을 보았다는 내용으로 이어진다. 따라서 글의 순서로 가장 적절한 것은 ⑤이다.

독해력 PLUS
Q1 문장: Sometimes, there are more important things than work.
해석: 가끔씩은, 일보다 더 중요한 것들이 있다.
Q2 ②

구문 풀이

[3행] [**What** he saw] was a deep blue ocean and a white sand beach.

→ [ ]는 문장의 주어 역할을 하는 관계대명사절이다. 관계대명사 what은 선행사를 포함하고 있으며, '~한/하는 것'이라는 의미이다. 이때 what은 the thing which[that]로 바꿔 쓸 수도 있다.

[7행] **"Have you been** here before?" the driver asked on the way there.

→ 「Have/Has + 주어 + p.p. ~?」의 현재완료 시제가 쓰인 의문문으로, 과거의 [경험]을 물을 때 쓴다. 현재완료 시제로 과거의 경험을 나타낼 때는 주로 ever, never, before 등이 함께 쓰인다.

[8행] He took out some files to look at **as** they drove to the hotel.

→ as는 '~하면서, ~할 때'라는 의미로, 부사절을 이끄는 접속사로 쓰여 뒤에 「주어 + 동사」의 절이 왔다.

2

정답 ②

해석

비올라와 바이올린은 아주 비슷하게 생긴 두 악기이다. 하지만, 비올라를 바이올린과 다르게 만드는 몇 가지 요인들이 있다.

(B) 예를 들어, 그것들은 바이올린보다 크다. 표준 크기의 비올라는 바이올린보다 약 3센티미터 더 길다. 이것이 가장 분명한 차이점이지만, 이 두 악기의 현도 다르다.
(A) 비올라 현은 바이올린의 현보다 두껍다. 그래서, 비올라 연주자들은 손을 다른 방식으로 사용하며, 그들은 특별한 종류의 활로 연주한다.
(C) 또한, 그것들의 악보 역시 다르게 생겼다. 비올라 용으로 쓰여진 악보는 바이올린 용으로 쓰인 악보와 다른 기호로 시작한다. 비올라는 이 기호를 사용하는 유일한 현악기이다.

해설

주어진 글은 바이올린과 비올라는 몇 가지 다른 점이 있다는 내용이고, (B)는 그것의 첫 번째 예로 비올라가 바이올린보다 크다는 것을 설명한다. (B)의 마지막에 언급된 두 악기의 현에 대한 차이점은 (A)에서 비올라 현이 바이올린 현보다 두껍다는 설명으로 이어지고 있다. (C)는 '또한'이라는 말을 통해 또 다른 차이점을 언급하고 있으므로 글의 순서로 가장 적절한 것은 ②이다.

독해력 PLUS

Q1 ①
Q2 violas

구문 풀이

[1행] However, there are **a few** things [that make violas different from violins].

→ a few는 '몇 가지의, 약간의, 조금 있는'이라는 의미로, 뒤에 오는 셀 수 있는 명사의 복수형(things)을 수식한다.
→ [ ]는 앞에 온 선행사 a few things를 수식하는 주격 관계대명사절이다.

[8행] Music [(which/that is) **written** for the viola] starts with a different symbol than music for the violin.

→ [ ]는 앞에 온 Music을 수식하는 과거분사구이다. 이때 written은 '쓰여진'이라고 해석한다. 과거분사 앞에 「주격 관계대명사 + be동사」가 생략되어 있다.

3

정답 ③

해석

(A) 한 소년은 반려 강아지를 간절히 원해서, 그의 부모님께 한 마리를 부탁했다. "강아지를 돌보는 것은 어려운 일이야"라고 그의 아버지가 말했다. "우리가 한 마리를 입양하기 전에, 대신 한 달 동안 이 식물을 보살펴 보렴."
(C) 그는 그렇게 하겠다고 약속했다. "그건 쉬울 거예요!"라고 그가 말했다. 첫 번째 주 동안, 그는 식물에 물을 주는 것을 매일 기억했다. 하지만 시간이 지나면서, 그는 그의 식물에 대해 잊어버리기 시작했다.
(D) 한 달이 끝날 무렵, 소년의 부모님은 식물이 어떤지 소년에게 물었다. "이런!" 그가 말했다. "저는 그것에 대해 완전히 잊어버렸어요!"
(B) 가족은 그것을 확인하러 갔고, 그것이 거의 죽은 상태인 것을 보았다. 소년은 스스로에게 실망했다. 그는 반려동물을 돌보려면 책임감을 더 가져야 할 필요가 있다는 것을 깨달았다.

해설

(A)에서 소년의 아버지가 한 달 동안 식물을 보살펴 보라고 한 것은 (C)에서 소년이 그렇게 하겠다고 약속한 것으로 이어진다. (C)에서 시간이 지날수록 소년이 식물 돌보는 것을 잊어버리기 시작했다는 것은 (D)에서 소년의 부모님이 식물이 잘 있는지를 묻는 것으로 이어지고, 소년이 그것을 완전히 깜박하고 있었다는 (D)의 내용은 (B)에서 그 식물이 거의 죽은 상태인 것을 본 내용으로 이어진다. 따라서 글의 순서로 가장 적절한 것은 ③이다.

독해력 PLUS

Q1 문장: He realized that he needed to become more responsible to take care of a pet.
해석: 그는 반려동물을 돌보려면 책임감을 더 가져야 할 필요가 있다는 것을 깨달았다.
Q2 ①

구문 풀이

[2행] Before we adopt **one**, look after this plant for a month instead.

→ 부정대명사 one은 앞에서 언급된 명사와 같은 종류의 불특정한 대상을 가리킨다. 여기서는 앞에 나온 a dog와 같은 종류의 불특정한 대상을 가리킨다.

[3행] The boy was disappointed with **himself**.

→ 전치사 with의 목적어가 주어(The boy)와 같은 대상이므로 재귀대명사 himself가 쓰였다. 이때의 재귀대명사는 '그 스스로, 그 자신'이라고 해석하며, 생략할 수 없다.

[7행] At the end of the month, the boy's parents asked him [how the plant was].

→ [ ]는 「how + 주어 + 동사」의 간접의문문으로, 이때 how는 '어떠한'의 의미로 상태를 묻는다.

4

정답 ⑤

해석

특히 태평양이나 카리브해처럼 지진이 흔한 장소들에서 발생할 가능성이 높은 쓰나미는 위험한 자연재해의 형태이다.

(C) 그것들은 지진이 해저를 움직일 때 시작된다. 이러한 움직임은 사방으로 뻗어 나가는 거대한 파도를 발생시킨다.

(B) 그 큰 파도들이 해안을 따라 있는 얕은 물로 다가오면서, 아주 높이 커진다. 그것들은 20미터 이상의 높이가 될 수 있으며, 제트기만큼 빠르게 이동할 수 있다.
(A) 일단 그것들이 해안에 도달하면, 지역 사회에 막대한 피해를 준다. 그 파도들은 그것들의 엄청난 크기와 힘으로 인해 쉽게 도로를 파괴하고 해안의 건물들을 무너뜨린다.

해설

주어진 글에서 쓰나미는 지진이 흔한 곳에서 발생할 가능성이 높다고 했고, (C)에서 지진이 해저를 움직이며 거대한 파도를 발생시키면서 쓰나미가 시작된다고 했다. (C)의 huge waves는 (B)의 the big waves로 이어지고, (B)에서 이 거대한 파도가 해안에 다가오면서 아주 높이 커지고 속도가 빨라짐을 설명한다. 이어서 (A)에서 이 파도가 해안에 도달했을 때 지역 사회에 막대한 피해를 준다고 했다. 따라서 이 글의 순서로 가장 적절한 것은 ⑤이다.

독해력 PLUS

Q1 ①
Q2 1 지진 2 해저 3 거대한[큰] 4 얕은

구문 풀이

[1행] Most likely to occur in places [**where** earthquakes are common] — especially the Pacific Ocean or the Caribbean — tsunamis are a dangerous form of natural disaster.

→ [ ]은 앞에 온 선행사 places를 수식하는 관계부사절로 선행사가 장소이면 관계부사 where를 쓴다.

[3행] **Once** they arrive at the shore, they cause a great amount of damage to local communities.

→ once는 부사절을 이끄는 접속사로, '일단 ~하면, ~하자마자'라는 의미이다.

[6행] They can be more than 20 meters tall, and they can move **as fast as** a jet plane.

→ 「as + 형용사/부사 + as」는 '~만큼 …한/하게'라는 의미이다. 이 문장에서는 '제트기만큼 빠르게'라고 해석한다.

독해원리 6 | 흐름을 통해 글의 맥락 바로잡기

본문 p. 68

기출로 확인하기

정답 ④

해석

Marguerite La Caze(마거리트 라 카제)에 따르면, 패션은 우리의 삶에 기여하고 우리가 중요한 사회적 가치를 개발하고 나타내는 수단을 제공한다. ① 패션은 아름답고 혁신적이며 유용할 수 있다; 우리는 패션에 관한 선택에 있어서 창의성과 좋은 취향을 드러낼 수 있다. ② 그리고 감각 있고 신중하게 옷을 입는 것에서, 우리는 자아 존중과 타인의 즐거움에 대한 관심 둘 다를 보여준다. ③ 패션이 우리를 서로와 연결해 주는 흥미와 즐거움의 원천이 될 수 있다는 것에는 의심할 여지가 없다. (④ 비록 패션 산업이 유럽과 미국에서 처음 발달했을지라도, 오늘날 그것은 국제적이고 매우 세계화된 산업이다.) ⑤ 다시 말해, 패션은 자신을 다르게 상상하는, 즉, 다른 정체성들을 시도해보는 기회와 더불어 사교적인 측면을 제공한다.

해설

이 글은 패션의 기능에 관한 글로, 패션이 어떻게 중요한 사회적 가치를 개발하고 나타내는 수단을 제공하는지에 대한 내용에서 우리와 타인을 연결하는 사교적 측면을 제공한다는 내용으로 흐름이 이어진다. 따라서 패션 산업이 매우 세계화된 산업이라는 ④은 글은 통일성을 해치므로 전체 흐름과 무관하다.

독해력 PLUS

1 패션	2 사회적	3 개발	4 제공	5 혁신적
6 선택	7 창의성	8 자아 존중	9 관심	10 연결
11 원천	12 비록	13 산업	14 발달했을지라도	
15 국제적	16 상상	17 정체성	18 사교적	

구문 풀이

[1행] According to Marguerite La Caze, fashion contributes to our lives and provides a medium *for us* **to develop and exhibit important social virtues.**

→ to develop 이하는 '중요한 사회적 가치를 개발하고 나타내는'이라는 의미로, to부정사의 형용사적 용법으로 쓰여 a medium을 수식하고 있다. 여기서는 to develop과 (to) exhibit이 등위접속사 and로 연결되어 쓰였다.

→ 「for + 목적격」은 to부정사의 의미상 주어로, to부정사(to develop, (to) exhibit)가 나타내는 동작의 주체이다.

[4행] **There is no doubt [that** fashion can be a source of interest and pleasure {which links us to each other}**].**

→ 「there is no doubt + that절」은 '~에는 의심할 여지가 없다'라는 의미이다. 이때 doubt와 that절은 접속사 that으로 연결된 동격 관계이다.

→ { }는 앞에 온 선행사 a source를 수식하는 주격 관계대명사절이다.

독해원리 6 적용 Practice

본문 p. 70

1 ④ 2 ④ 3 ④ 4 ②

1

정답 ④

해석

오늘날 많은 부모들이 가능한 한 일찍 그들의 자녀를 교육해야 한다는 부담을 느낀다. 그들에게 읽는 법을 가르치는 것은 마치 그들의 가장 큰 임무 중 하나인 것처럼 보인다. ① 그러나 부모들은 아이들에게 독서를 가르치는 것은 이 활동이 재미있어 보일 때 훨씬 쉽다는 것을 기억해야 한다. ② 예를 들어, 만약 아이들이 그림 그리기를 좋아한다면, 그들의 부모는 그들에게 책에 나온 장면들 중 하나를 그려보도록 요청할 수 있다. ③ 게다가, 아이들에게 그들이 좋아하는 주제들에 관한 책을 고를 기회가 있다면 아이들은 독서를 더 즐길 것이다. (④ 어린아이들을 위한 책들은 그들이 종이에 베이지 않도록 대개 부드러운 종이로 만들어진다.) ⑤ 이러한 방법들을 활용함으로써, 부모들은 곧 스스로 책장 옆에 있는 그들의 아이들을 발견할 것이다.

해설

이 글은 아이들을 위한 효과적인 독서 교육 방법들에 관한 글이며, 부모가 아이들에게 책 읽는 법을 가르치기 위해 고려해야 할 사항들에 대한 내용으로 흐름이 이어진다. 따라서 어린아이들을 위한 책의 재질에 관한 내용인 ④은 글의 통일성을 해치므로 전체 흐름과 무관하다.

독해력 PLUS

Q1 ①

Q2 ②, ③

구문 풀이

[1행] Many parents these days feel pressure **to educate** their children as early as possible.

→ to educate 이하는 '교육해야 한다는'이라는 의미로, to부정사의 형용사적 용법으로 쓰여 pressure를 수식하고 있다.

[1행] It seems like **teaching them [how to read]** is *one of their biggest jobs*.

→ 「teach + 간접목적어 + 직접목적어」는 '~에게 …을 가르쳐주다'라는 의미이다. 이 문장에서는 「의문사 + to-v」인 [ ]가 직접목적어 역할을 하고 있다.

→ 「one of + 소유격 + 최상급 + 복수명사」는 '가장 ~한 … 중 하나'라는 의미이다.

[6행] Books for young children are usually made of soft paper **so that** they won't get paper cuts.

→ so that은 부사절을 이끄는 접속사로, '~하도록'이라는 의미이다. 이 문장에서는 '그들이 종이에 베이지 않도록'이라고 해석한다.

2

정답 ④

해석

때때로, 우리는 얼굴 표정과 자세를 통해 우리가 생각하거나 느끼고 있는 것을 보여 준다. 실제로, 우리가 서로 나누는 정보 중 거의 70퍼센트 정도가 말로 표현되지 않는다. (①) 이러한 종류의 의사소통은 바디 랭귀지(몸짓 언어)라고 불린다. (②) 바디 랭귀지의 한 유명한 사례는 엘리베이터 안에서 쉽게 발견된다. (③) 주변에 아무도 없을 때, 사람들은 대개 엘리베이터 안 그들이 원하는 어디든지 서 있는 것을 충분히 편하게 느낀다. (④ 하지만, 다른 사람들이 들어오면, 그들은 단순히 가까운 구석으로 이동하면서 다르게 행동한다.) 그들은 다른 사람들이 그들과 가까이 있기를 원하지 않는다는 메시지를 보내고 있는 것이다. (⑤) 이와 같은 상황들에서, 바디 랭귀지를 이해하는 것은 도움이 될 수 있다.

해설

주어진 문장의 However, they act differently when others enter로 보아, 앞에는 이와 반대되는 상황이 나와야 함을 알 수 있다. 따라서 엘리베이터 안에 아무도 없을 때는 사람들이 원하는 어디든지 서 있는다는 문장 바로 뒤 ④에 들어가는 것이 적절하다.

독해력 PLUS

Q1 body language

Q2 However

구문 풀이

[2행] Sometimes, we show [**what** we are thinking or feeling] {through facial expressions and body posture}.

→ [ ]는 show의 목적어 역할을 하는 관계대명사절이다. 관계대명사 what은 선행사를 포함하고 있으며, '~하는 것'이라는 의미이다.

→ { }는 전치사 through가 이끄는 전치사구로, 부사 역할을 하여 문장 전체를 수식한다.

[5행] When there's no one else around, people feel comfortable enough to stand [**wherever** they want in the elevator].

→ [ ]는 wherever가 이끄는 부사절이다. wherever는 '~하는 어디든지'라는 의미이다. 여기서는 wherever 대신 at any place (where)로 바꿔 쓸 수 있다.

[6행] They are sending **a message** [**that** they don't *want the others to be* close to them].

→ a message와 that절은 접속사 that으로 연결된 동격 관계이다.

→ 「want + 목적어 + to-v」는 '~가 …하기를 원하다'라는 의미이다.

3

정답 ④

해석

그리스와 이탈리아와 같은 국가들에서 발달한 지중해식 식단은, 심장 질환과 다른 질병들을 예방하는 것을 도울 수 있다. 그것은 몸을 건강하고 튼튼하게 유지시켜 주는 재료들을 기반으로 한다. ① 예를 들어, 지중해식 식단은 많은 통곡물, 채소 그리고 씨앗을 포함하되, 육류는 제한된 양만 포함한다. ② 생선과 닭고기는 허용되지만, 붉은 살코기나 당류는 거의 쓰이지 않는다. ③ 질 좋은 지방질 역시 이 식단의 중요한 부분인데, 왜냐하면 그것은 특정 질병들에 걸릴 위험을 낮추기 때문이다. (④ 지중해식 식단은 똑같은 영양분을 함유하고 있는 다른 문화들에서 온 음식을 배제한다.) ⑤ 올리브 오일이나 견과류에서 건강한 지방질이 발견되기 때문에, 이 재료들은 지중해식 요리를 만드는 데 꽤 자주 사용된다.

해설

이 글은 지중해식 식단의 특징과 재료들에 대한 글이며, 지중해식 식단이 건강에 좋은 이유들을 설명하는 내용으로 흐름이 이어지고 있다. 따라서 지중해식 식단이 다른 문화들에서 온 음식을 배제한다는 ④은 글의 통일성을 해치므로 전체 흐름과 무관하다.

독해력 PLUS

1 발달 2 식단 3 질병 4 예방 5 유지
6 재료 7 예를 들어 8 씨앗 9 육류
10 제한된[한정된] 11 허용 12 위험 13 낮추기

14 (똑)같은 15 문화 16 배제[제외] 17 때문에 18 요리

구문 풀이

[1행] The Mediterranean diet[**, which** developed in countries like Greece and Italy], can help prevent heart disease and other illnesses.

→ [ ]는 앞에 온 The Mediterranean diet를 선행사로 가지는 계속적 용법의 관계대명사절로, 선행사에 대한 부연 설명을 하기 위해 문장 중간에 삽입되었다.

[2행] It is based on ingredients that **keep the body healthy and strong**.

→ 「keep + 목적어 + 형용사」는 '~을 …하게 유지시키다'라는 의미로, 여기서는 형용사 healthy와 strong이 등위접속사 and로 연결되어 쓰였다.

[6행] The Mediterranean diet excludes foods from other cultures [that have the same nutrients].

→ [ ]는 앞에 온 선행사 foods from other cultures를 수식하는 주격 관계대명사절이다.

4

정답 ②

해석

모든 강은 다르게 생겼지만, 그것들은 모두 공통점을 가지고 있다. 모든 강의 시작점은 수원이라고 불린다. 그것은 대개 호수나 산 위의 녹아내리는 눈이다. (①) 예를 들어, 아마존 강의 수원은 안데스 산맥의 눈이다. (② 강이 수원으로부터 아래쪽으로 흐름에 따라, 그것은 점점 더 커지고 더 거세진다.) 이는 왜냐하면 그것이 비나 작은 개울로부터 물을 더 얻기 때문이다. (③) 강이 충분히 거세지면, 그것은 흙과 바위들을 이동시킴으로써 심지어 지면의 모양을 변형시킬 수도 있다. (④) 이러한 물질들의 이동은 계곡이나 협곡을 형성하는 결과로 이어진다. (⑤) 이것의 유명한 예는 미국에 있는 그랜드 캐니언이다.

해설

주어진 문장은 강이 흘러 내려가면서 더 커진다는 것을 설명한다. 이 글에서는 ② 앞까지는 수원이 무엇인지에 대해 설명하고 아마존 강을 예로 들고 있다. ② 뒤에서 그것이 물을 더 얻기 때문이라고 했는데, 앞에 이 이유와 연결될 수 있는 내용이 없으므로 흐름이 끊겨 어색하다. 따라서 주어진 문장이 ②에 들어가서 강이 더 커지고 거세지는 이유로 연결되는 것이 적절하다.

독해력 PLUS

Q1 ②

Q2 soil and rocks

구문 풀이

[1행] **As** a river flows downhill from the source, it *gets bigger and more powerful*.

→ as는 부사절을 이끄는 접속사로, '~함에 따라, ~할수록'이라는 의미이다.

→ 「get + 형용사」는 '~하게 되다, ~해지다'라는 의미이다. 여기서는 형용사의 비교급 bigger와 more powerful이 등위접속사 and로 연결되어 쓰였다.

[5행] When a river becomes **strong enough**, it can even change the shape of the earth *by moving* soil and rocks.

→ 「형용사/부사 + enough」는 '충분히 ~한/하게'라는 의미이다.
cf. 「enough + 명사」: 충분한 ~

→ 「by + v-ing」는 '~함으로써, ~해서'라는 의미로 수단이나 방법을 나타낸다.

Chapter Test

본문 p. 74

1 ③ 2 ⑤ 3 ④ 4 ⑤
5 ④ 6 ④ 7 ③ 8 ②

1

정답 ③

해석

대부분의 사람들은 빗물은 마시기에 안전하지 않다고 생각한다. 그럼에도 불구하고, 만약 사람들이 그것을 모으는 방법에 주의를 기울인다면, 그것을 섭취하는 것은 대개 괜찮다. ① 가장 중요한 것은 빗물이 모이기 전에 그것이 무엇에 접촉했는지다. ② 만약 그것이 건물이나 파이프와 같은 인공 구조물들에 닿은 적이 있다면, 사람들은 그것을 마시기를 피해야 하는데 왜냐하면 그것은 아마도 독성 화학 물질을 흡수했을 것이기 때문이다. (③ 빗물이 건물들에 피해를 줄 수 있기 때문에 건축가들은 건설에 적합한 재료를 사용하는 것을 고려해야 한다.) ④ 게다가, 땅에 닿는 빗물은 사람들의 건강에 해로운 박테리아들을 포함하고 있을 수도 있다. ⑤ 하지만, 만약 빗물이 어떠한 것에도 닿지 않고 깨끗한 용기에 바로 떨어진다면, 마시는 것은 대체로 안전하다.

해설

이 글은 빗물을 마시는 것에 관한 글이며, 빗물을 안전하게 마시려면 빗물을 모을 때 주의해야 하는 점들을 설명하는 흐름으로 이어진다. 따라서 빗물이 건물에 주는 피해를 고려한 적합한 건설 재료에 관한 내용인 ③은 글의 통일성을 해치므로 전체 흐름과 무관하다.

구문 풀이

[2행] The most important thing is [what rainwater touches before it is collected].

→ [ ]는 「의문사(what) + 주어 + 동사」의 의문사가 이끄는 명사절로, is의 보어 역할을 하고 있다.

[5행] Architects should think about [**using** proper materials for construction] *since* rainwater is able to damage buildings.

→ [ ]는 전치사 about의 목적어 역할을 하는 동명사구이다.

→ since는 '~ 때문에'라는 의미로, 부사절을 이끄는 접속사로 쓰여 뒤에 「주어 + 동사」의 절이 왔다.

[6행] In addition, rainwater [that hits the ground] can include bacteria {that are harmful to people's health}.

→ [ ]와 { }는 각각 앞에 온 선행사 rainwater와 bacteria를 수식하는 주격 관계대명사절이다.

2

정답 ⑤

해석

만약 당신이 거짓말을 절대 하지 않는다고 말한다면, 당신은 아마 거짓말쟁이일 것이다. 심리학자들은 대부분의 사람들이 적어도 10분에 한 번씩은 거짓말을 한다는 것을 알아냈다. (①) 사람들이 거짓말을 너무 자주 하기 때문에 거짓말쟁이를 식별하는 법을 아는 것은 도움이 될 것이다. (②) 누군가가 거짓말을 하고 있다는 신호들을 찾을 한 곳은 바로 그들의 얼굴이다. (③) 우리는 우리의 몸짓 언어를 조절하는 데 꽤 능숙하지만, 얼굴에는 우리가 통제할 수 없는 몇몇 근육들이 있다. (④) 예를 들어, 진짜 감정이 없을 때는 우리를 웃게 만드는 아주 작은 근육들을 사용하는 것은 어렵다. (⑤ 손은 누군가가 진실을 말하고 있지 않다는 힌트를 찾을 또 다른 곳이다.) 거짓말하는 것은 스트레스를 주므로, 사람들은 안정된 상태를 유지하기 위해 그들의 얼굴이나 머리에 종종 그들의 손을 가져다 놓는다.

해설

주어진 문장의 another place ~ truth로 보아, 앞에는 손 말고도 진실을 말하지 않고 있다는 것을 알아낼 수 있는 다른 힌트가 먼저 언급되고 있음을 알 수 있다. 따라서 얼굴에서 알 수 있는 힌트와 관련된 내용이 끝나는 문장 바로 뒤이면서 거짓말을 할 때 손을 얼굴이나 머리에 가져다 놓는다는 문장 바로 앞인 ⑤에 들어가는 것이 적절하다.

구문 풀이

[4행] One place **to look for *signs*** [***that*** **someone is lying**] is their face.

→ to look for 이하는 '누군가가 거짓말을 하고 있다는 신호들을 찾을' 이라는 의미로, to부정사의 형용사적 용법으로 쓰여 One place를 수식하고 있다.

→ signs와 [ ]는 접속사 that으로 연결된 동격 관계이다.

[6행] ~ but there are some muscles in the face [that we just can't control].

→ [ ]는 앞에 온 선행사 some muscles를 수식하는 목적격 관계대명사절로, 목적격 관계대명사 that은 생략하거나 which로 바꿔 쓸 수 있다.

[6행] For example, **it**'s hard **to use the tiny muscles that make us smile** when there is no real emotion.

→ it은 가주어이고, to use 이하가 진주어이다. 이때 가주어 it은 따로 해석하지 않는다.

3

정답 ④

해석

브로콜리에 관한 흥미로운 사실이 있다. 만약 우리가 제대로 된 곳에서 찾는다면, 우리는 버섯, 양파, 그리고 야생에서 자라는 다른 먹을 것을 쉽게 찾을 수 있겠지만, 브로콜리는 찾을 수 없다.

(C) 브로콜리는 야생에서는 어디서도 발견되지 않을 것인데, 왜냐하면 인간이 그것을 만들었기 때문이다. 브로콜리의 역사는 사실 유럽 남부에서 자라던 양배추에서 시작되었다.

(A) 그것은 맛이 썩 좋지 않았지만, 사람들이 먹기 좋아했던 작은 꽃들을 맺었다. 게다가 그 양배추를 기르는 것은 어렵지 않았기에, 사람들은 그 중에서 가장 큰 꽃들을 가진 양배추들을 번식시키기 시작했다.

(B) 이 관행은 오랫동안 지속됐고, 양배추는 많이 바뀌었다. 결국, 그것은 우리가 지금 브로콜리라고 부르는 채소가 되었다.

해설

다른 먹을거리와 달리 브로콜리는 야생에서는 찾을 수 없다는 주어진 글의 내용은 (C)에서 브로콜리는 인간이 만들었기 때문이라는 내용으로 이어지고, 이 역사는 양배추에서 시작되었다고 했다. 이는 (A)에서 그것은 사람들이 먹기 좋아하는 꽃을 맺었고, 사람들이 큰 꽃을 가진 양배추들을 번식시키기 시작했다는 내용으로 이어진다. 이를 (B)에서 '이 관행'으로 가리키며 그 결과 우리가 브로콜리라고 부르는 채소가 되었다고 했다. 따라서 글의 순서로 가장 적절한 것은 ④이다.

구문 풀이

[1행] ~ we could easily find mushrooms, onions, and other foods [(which/that are) **growing** in the wild], but not broccoli.

→ [ ]는 앞에 온 other foods를 수식하는 현재분사구이다. 이때 growing은 '자라는'이라고 해석한다. 현재분사 앞에 「주격 관계대명사 + be동사」가 생략되어 있다.

[4행] It didn't taste very good, but it produced small flowers [that people **liked to eat**].

→ [ ]는 앞에 온 선행사 small flowers를 수식하는 목적격 관계대명사절이다.

→ liked to eat은 '먹기 좋아했다'라고 해석한다. like는 목적어로 to부정사와 동명사 모두 쓸 수 있다.

4

정답 ⑤

해석

(A) Kate에게는 항상 그녀와 같이 있고 싶어 하는 여동생이 있었다. 매일 그녀는 "나랑 놀 수 있어?"라고 물었다. 하지만 Kate는 바빴기 때문에 자주 안 된다고 말했다.

(D) 어느 날, Kate는 그녀의 친구들을 만나기 위해 집을 나서고 있었다. "나랑 놀래?"라고 그녀의 여동생이 물었다. "미안하지만 나는 일정이 있어"라고 그녀가 답했다.

(C) 나가기 전에, 그녀는 식탁에서 그녀의 지갑을 가지러 갔다. 거기에는

"나와 나의 영웅"이라는 제목의 그림이 놓여 있었다. 그것은 그녀와 그녀의 여동생이 손을 잡고 있는 그림이었다.
(B) 그녀는 동생이 그녀를 얼마나 사랑하는지 깨달았다. Kate는 그녀의 여동생에게 갔다. "나가는 줄 알았는데"라고 그녀가 말했다. Kate는 그녀를 꽉 껴안고는 그녀가 동생과 더 많은 시간을 보내겠다고 속삭였다.

해설
(A)는 Kate가 바빠서 놀아 달라는 여동생을 거절하곤 했다는 내용이다. 이는 (D)에서 어느 날 Kate가 친구들을 만나기 위해 밖에 나가려던 상황으로 이어지고, (C)의 집을 나서기 전에 식탁 위에 있는 지갑을 가지러 온 내용으로 이어진다. (C)에서 여동생이 그린 그림을 발견한 Kate는 (B)에서 여동생이 자신을 얼마나 사랑하는지를 깨닫고 여동생에게 가는 내용으로 이어진다. 따라서 글의 순서로 가장 적절한 것은 ⑤이다.

구문 풀이

[3행] She realized [how much her sister loved her].

→ [ ]는 「how + 부사 + 주어 + 동사」의 의문사가 이끄는 명사절로, realized의 목적어 역할을 하고 있다. 이때 how는 '얼마나'라고 해석한다.

[6행] **Before leaving**, she went to grab her purse from the table.

→ Before leaving은 '나가기 전에'라는 의미로, [시간]을 나타내는 분사구문이다. 분사구문의 의미를 분명하게 하기 위해 접속사 before가 생략되지 않았다.
= **Before she left**, she went to ~

[6행] There was a drawing [(which/that was) **lying** there] with the title "Me and My Hero."

→ [ ]는 앞에 온 a drawing을 수식하는 현재분사구이다. 이때 lying은 '놓여 있는'이라고 해석한다. 현재분사 앞에 「주격 관계대명사 + be동사」가 생략되어 있다.

5

정답 ④

해석
환경 오염은 다양한 유형으로 나타나며, 그것이 동물들에게 미치는 영향은 널리 알려져 있다. 이 유형들 가운데, 빛 공해가 심각한 걱정거리가 되었는데, 왜냐하면 그것은 특히 새들에게 부정적인 영향을 끼치기 때문이다. ① 몇몇 새들은 밤에 나는 동안 달의 위치와 별들의 패턴을 지도처럼 활용한다. ② 그래서, 그것들이 밤 비행 중에 도시에서 나오는 인공적인 빛을 보게 될 때, 그것들은 혼란에 빠지게 된다. ③ 그것들은 올바른 방향을 잡는 데에 힘든 시간을 겪을 수 있으며, 심지어 때때로 건물들에 충돌하기도 한다. (④ 많은 새들은 큰 무리를 지어 비행하는데, 그것이 홀로 이동하는 것보다 훨씬 안전하기 때문이다.) ⑤ 안타깝게도, 전 세계적으로 매년 수백만 마리의 새들이 이로 인해 목숨을 잃는다.

해설
이 글은 빛 공해가 새들에게 부정적인 영향을 끼친다는 내용의 글이다. 도심의 빛이 밤에 비행하는 새들에게 혼란을 주고, 이로 인해 많은 새들이 목숨까지 잃게 된다는 내용으로 흐름이 이어지고 있다. 따라서 새들이 큰 무리를 지어 비행하는 것이 홀로 이동하는 것보다 안전하다는 ④은 글의 통일성을 해치므로 전체 흐름과 무관하다.

구문 풀이

[2행] Among these forms, light pollution **has become** a serious concern because it has a particularly negative impact on birds.

→ has become은 현재완료 시제(have p.p.)로, 이 문장에서는 과거에 시작된 일이 현재까지 영향을 미쳐 발생한 [결과]를 나타낸다.

[4행] So, when they see artificial lights from the city **during** nighttime flight, they *become confused*.

→ 전치사 during은 '~ 동안'이라는 의미이다. during 뒤에는 특정 기간을 나타내는 명사가 온다.
→ 「become + 형용사」는 '~하게 되다'라는 의미이다.

[5행] They can **have a hard time finding** the right direction, and ~

→ 「have a hard time + (in) + v-ing」는 '~하는 데 힘든 시간을 겪다'라는 의미이다.

6

정답 ④

해석
마그넷 스쿨은 미국 교육 시스템의 중요한 부분이다. 그것들은 마치 자석처럼 모든 배경의 재능 있는 학생들을 끌어들이는 방식에서 그 이름을 갖게 되었다. (①) 각각의 마그넷 스쿨은 과학이나 미술처럼 특정한 과목에 중점을 두는 전문화된 프로그램을 제공한다. (②) 이 학교들은 무료로 다닐 수 있고 훌륭한 교육 환경을 제공해주기 때문에, 많은 부모들이 그들의 자녀들을 한 곳에 보내고 싶어 한다. (③) 그래서, 마그넷 스쿨은 새로운 학생들을 공정하게 선발하기 위해 다양한 방법들을 사용한다. (④ 예를 들어, 그들은 사회경제적 배경과 상관없이 경쟁 시험을 시행하고 통과한 어떠한 학생이든 받을 수 있다.) 이 시험은 학교 환경에 다양성이 있음을 보장하도록 도울 수 있다. (⑤) 그들의 목표는 삶에서 성공을 쟁취할 수 있는 기회를 모든 재능 있는 아이들에게 제공하는 것이다.

해설
주어진 문장의 For example로 보아 앞에는 경쟁 시험이 예시로 등장할 수 있는 내용이 나와야 한다. ④ 앞의 마그넷 스쿨이 새로운 학생들을 공정하게 선발하기 위해 다양한 방법을 사용한다는 내용이 이에 해당한다. 또한, ④ 뒤의 This test는 주어진 문장의 경쟁 시험을 가리키고 있으므로 주어진 문장은 ④에 들어가는 것이 적절하다.

구문 풀이

[1행] For example, they might give a competitive exam and accept **any** student who *passes*, ~

→ 긍정문에서 any가 사용될 경우 '어떠한 ~이든, 어떠한 ~이라도'이라고 해석한다. any 뒤에는 단수명사와 복수명사 모두 올 수 있으며 여기서는 단수명사(student)가 와서 주격 관계대명사절 안에 단수동사(passes)가 쓰였다.

[7행] ~ many parents want to send their children to **one**.

→ 부정대명사 one은 앞에서 언급한 명사와 같은 종류의 불특정한 대상을 가리킨다. 이 문장에서는 앞에 나온 magnet school과 같은 종류의 불특정한 대상을 가리킨다.

[9행] Their goal is [**to *provide*** *every talented child with the opportunity* to achieve success in life].

→ to provide 이하는 '제공하는 것'이라는 의미로, to부정사의 명사적 용법으로 쓰여 is의 보어 역할을 하고 있다.

→ 「provide + A + with + B」는 'A에게 B를 제공하다'라는 의미이다.

7

정답 ③

해석

게슈탈트 심리학은 인간의 인지를 연구한다. 그것은 우리가 어떤 것의 개별적인 부분들보다는 전체로서의 그것에 집중하는 경향이 있다고 시사한다.

(B) 예를 들어, 우리가 책을 읽을 때 우리는 많은 경우 (forest와 같은) 단어들을 통째로 된 것들로 본다. 우리는 보통 그것들을 구성하는 글자들(f, o, r, e, s, 혹은 t)에 주의를 기울이지 않는다.

(C) 우리가 그 단어들을 전체로 인지하는 이유는 그것들이 의미를 가지고 있기 때문이다. 각각의 글자들이 독자적인 단위이기는 하지만, 그것들 자체만으로는 우리에게 어떠한 것도 의미하지 않는다.

(A) 다른 많은 상황에서도, 우리의 정신은 사물의 개별적 부분들이 아니라 패턴들을 통해 의미를 탐색한다. 그것이 우리가 우리 주변의 세상을 이해하는 방법이다.

해설

주어진 글은 인간이 어떤 것의 개별 부분들보다는 전체에 주목하는 경향이 있다는 게슈탈트 심리학에 대한 설명이다. 이에 대한 예시로 (B)에서 우리가 하나의 단어를 개별 글자가 아닌 통째로 된 것으로 본다고 했다. 그 이유로 (C)에서 글자가 아니라 단어가 우리에게 의미를 갖기 때문이라고 했다. 그리고 (A)에서 우리가 다른 많은 상황에서도 부분들이 아닌 패턴을 통해 의미를 탐색한다는 내용으로 주제를 다시 환기하고 있다. 따라서 글의 순서로 가장 적절한 것은 ③이다.

구문 풀이

[1행] It suggests [that we tend to focus on a thing as a whole rather than the individual parts of it].

→ [ ]는 suggests의 목적어 역할을 하는 명사절이다. 이때 명사절 접속사 that은 생략할 수 있다.

[8행] The reason [**that** we notice those words as a whole] is {that they have meaning}.

→ [ ]는 앞에 온 선행사 The reason을 수식하는 관계부사절로, 관계부사 why 대신 that이 쓰였다. 이때 관계부사 why나 that은 생략할 수 있다.

→ { }는 is의 보어 역할을 하는 명사절이다. 이때 명사절 접속사 that은 생략할 수 있다.

8

정답 ②

해석

(A) 한 학생은 그녀가 선생님이길 바랐다. 그녀는 선생님들은 열심히 공부하지 않아도 되니까 선생님이 되면 재미있을 것이라 생각했다. 그녀가 옳은지 확인하고자, 그녀는 선생님을 찾아가서 "Kelly 선생님, 선생님의 일이 어떤 것인지 저에게 보여줄 수 있으세요?"라고 물었다.

(C) "물론이지"라고 그녀가 답했다. 그 학생은 신이 나서 그녀를 따라갔다. 선생님은 몇몇 서류들을 꺼냈다. "이것들은 이번 주에 쓸 자료들인데, 나는 오늘 이것들을 정리해야 돼"

(B) 그 학생은 선생님이 종이를 분류하는 것을 도왔지만, 그것은 쉽지 않았다. 그들이 일하고 있을 때, 다른 학생들이 선생님에게 이야기를 하고자 다가오기도 했다. 그녀가 이야기하고 있을 때, 그녀의 전화벨이 울렸고, 그래서 그녀는 그것을 받으러 서둘러 가 버렸다.

(D) 선생님은 한 번도 쉬지 않았다. "이거 힘든 일이구나"라고 그 학생은 생각했다. 그녀는 순간 그녀의 선생님이 학생들에게 해 준 모든 것에 감사함을 느꼈다.

해설

선생님이라는 직업이 어떤 것인지 선생님께 질문했던 (A)의 상황은 (C)에서 선생님이 답한 것으로 이어진다. (C)에서 선생님이 서류를 꺼내서 정리를 시작하자 (B)에서 학생이 그것을 분류하는 것을 도와주는 내용으로 이어지고, (B)에서 선생님이 학생들과 이야기를 하다가 전화를 받으러 가 버린 상황은 (D)에서 선생님은 한 번도 쉬지 않았다는 내용으로 이어진다. 따라서 글의 순서로 가장 적절한 것은 ②이다.

구문 풀이

[2행] To see [**if** she was right], she went to her teacher and asked, "Ms. Kelly, can you *show me* {what your job is like}?"

→ [ ]는 To see의 목적어 역할을 하는 명사절이다. 명사절 접속사 if는 '~인지 (아닌지)'라고 해석한다.

→ 「show + 간접목적어 + 직접목적어」는 '~에게 …을 보여주다'라는 의미이다.

→ { }는 「의문사(what) + 주어 + 동사」의 의문사가 이끄는 명사절로, show의 직접목적어 역할을 하고 있다. 참고로 「what + 주어 + 동사 + like」는 「how + 주어 + 동사」로 바꿔 쓸 수 있다.

[10행] She suddenly felt thankful for everything [(that) her teacher did for students].

→ [ ]는 앞에 온 선행사 everything을 수식하는 목적격 관계대명사절로, 목적격 관계대명사 that이 생략되어 있다. 선행사가 -thing, -body로 끝나면 관계대명사 that을 주로 쓴다.

Chapter 4

비교하며 읽기

기초 쌓기

본문 p. 84

해석

Daytona 암벽 등반 클럽

Daytona 암벽 등반 클럽에서 새 회원들을 찾고 있습니다. 오셔서 저희와 함께하세요!

Ⓐ **날짜:** 1월 5일 - 1월 9일

Ⓑ **장소:** Daytona 중학교 체육관

Ⓒ **저희가 제공해드리는 것:**

- 무료 암벽 등반 장비
- 기초 등반 기술 코칭

Ⓓ **가져오실 것:** 학생증, 지원서

Let's Try

1 ③ 2 ②

1

해석

[A] 미국인 작가 Herman Melville(허먼 멜빌)은 1819년 8월 1일 뉴욕에서 태어났다. [B] 그는 오랜 경력 동안 수많은 단편 소설 및 시뿐만 아니라, 11편의 소설도 썼다. [C] 그의 가장 인기 있는 작품은 소설 <모비 딕>인데, 그것은 그의 걸작이라고 널리 여겨진다.

2

해석

2015년의 곡물 생산량은 전년도보다 감소했다.

연도	2013	2014	2015
곡물 생산량	[A] 55톤	[B] 60톤	[C] 58톤

독해원리 7 | 도표와 문장 비교하기

본문 p. 86

기출로 확인하기

정답 ③

해석

학생들이 디지털 콘텐츠에 접근하기 위해 사용한 기기들

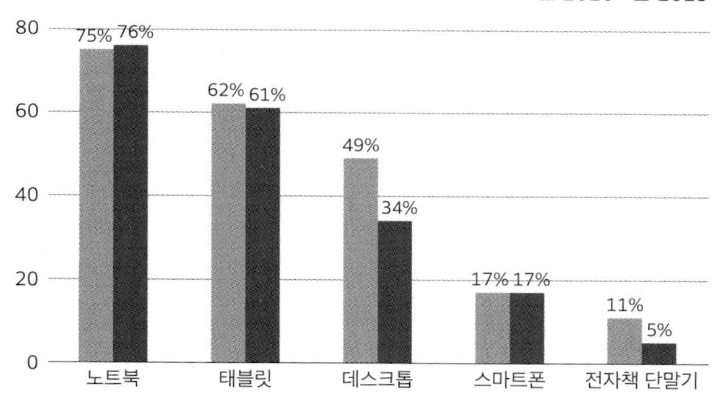

위 그래프는 2016년과 2019년에 교육용 디지털 콘텐츠에 접근하기 위해 기기를 사용했던 유치원에서 12학년까지의 학생들의 비율을 보여 준다. ① 노트북은 두 해 모두 학생들이 디지털 콘텐츠에 접근하기 위해 가장 많이 사용한 기기였다. ② 2016년과 2019년 모두 10명 중 6명이 넘는 학생들이 태블릿을 사용했다. ③ 2016년에는 절반보다 많은 학생들이 디지털 콘텐츠에 접근하기 위해 데스크톱을 사용했다. ④ 2016년 스마트폰의 비율은 2019년의 그것(스마트폰의 비율)과 같았다. ⑤ 전자책 단말기는 두 해 모두 가장 낮은 순위를 차지했는데, 2016년에는 11퍼센트였고 2019년에는 5퍼센트였다.

해설

2016년에 데스크톱을 사용하여 디지털 콘텐츠에 접근한 학생의 비율은 49퍼센트인데, 이는 절반(50퍼센트)보다 낮으므로, 도표의 내용과 일치하지 않는 것은 ③이다.

독해력 PLUS

Q1 노트북은 두 해 모두 학생들이 디지털 콘텐츠에 접근하기 위해 가장 많이 사용한 기기였다.

Q2 More → Less

구문 풀이

[5행] The percentage of smartphones in 2016 was the same as **that** in 2019.

→ that은 앞에서 언급된 단수명사의 반복을 피하기 위해 사용된 대명사로, 이 문장에서는 앞에 나온 The percentage of smartphones를 대신해서 쓰였다.

독해원리 7 적용 Practice

본문 p. 88

1 ④　2 ③　3 ⑤　4 ③

1

정답 ④

해석

2020년 1인당 연간 해산물 소비량

국가	소비량(kg)
한국	58
노르웨이	48
중국	37
미국	27
세계 평균	23
러시아	20
이탈리아	18

0 10 20 30 40 50 60 70 (kg)

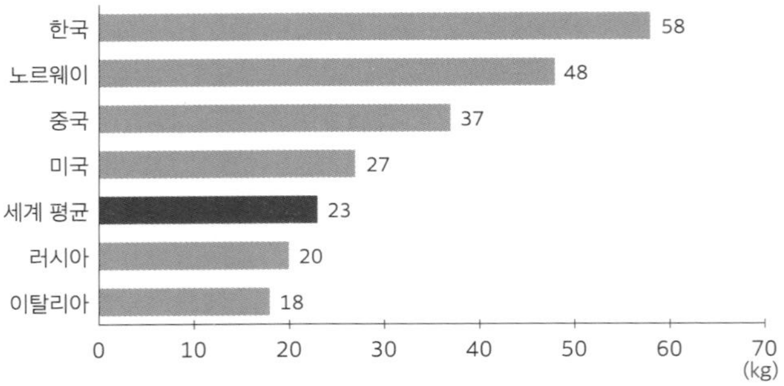

위 그래프는 2020년 6개국의 1인당 연간 해산물 소비량을 보여 준다. ① 한국의 연간 해산물 소비량이 가장 높았고, 노르웨이가 그 뒤를 이었다. ② 노르웨이에서 소비된 해산물의 양은 세계 평균의 그것(소비된 해산물의 양)의 2배보다 더 많았다. ③ 중국과 미국에서 소비된 해산물 양의 차이는 10킬로그램이었다. ④ 러시아와 이탈리아에서 소비된 해산물의 합쳐진 양은 중국에서 소비된 해산물의 양보다 적었다. ⑤ 주어진 국가들 중에서, 이탈리아의 연간 해산물 소비량이 18킬로그램으로 가장 낮은 순위를 차지했다.

해설

러시아와 이탈리아에서 소비된 해산물을 합친 양은 38킬로그램이며, 이는 중국에서 소비된 해산물의 양인 37킬로그램보다 많으므로, 도표의 내용과 일치하지 않는 것은 ④이다.

독해력 PLUS

Q1 (1) 46　(2) 10　(3) 38

Q2 less → more

구문 풀이

[2행] The annual seafood consumption in Korea was **the highest**, [*followed* by Norway].

→ 「the + 형용사의 최상급」은 '가장 ~한'이라는 의미이다. 여기서는 형용사 high의 최상급인 highest가 쓰였다.

→ [ ]는 '노르웨이가 그 뒤를 이으면서'라는 의미로, [동시동작]을 나타내는 수동형 분사구문이다. 분사구문으로 만드는 부사절에 수동태가 쓰였을 경우 동사를 「Being + p.p.」로 바꾸는데, 이때 Being은 생략할 수 있다.

[6행] **Among** the given countries, annual seafood consumption in Italy ranked the lowest at 18 kilograms.

→ 전치사 among은 '~ 중에서, 사이에서'라는 의미이다. 주로 셋 이상의 사이를 가리킬 때 among을, 둘 사이를 가리킬 때는 between을 쓴다.

cf. 「between A and B」: A와 B 사이의

2

정답 ③

해석

20세~30세 한국인 성인의 취미

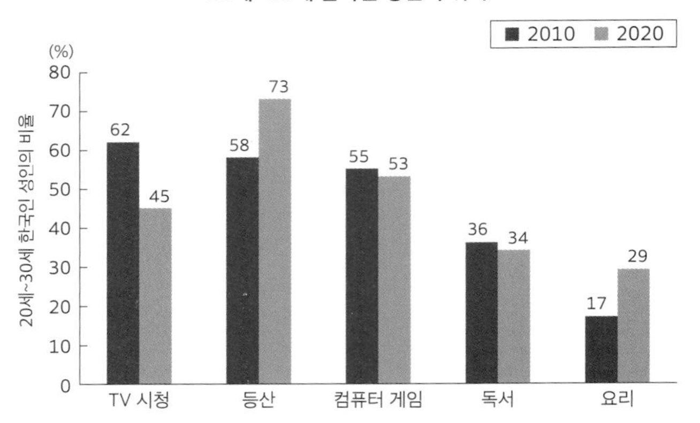

위 그래프는 2010년과 2020년에 20세에서 30세인 한국인 성인들의 취미를 보여 준다. ① TV 시청은 2010년에 62퍼센트로 가장 인기 있는 취미였다. ② 2020년에 10명 중 7명보다 많은 응답자들이 등산을 즐겼는데, 이는 다섯 개 취미 중 가장 높았다. ③ 컴퓨터 게임과 독서를 좋아하는 응답자 비율은 2010년부터 2020년까지 증가했다. ④ 3분의 1보다 많은 응답자들이 2010년과 2020년 둘 다 취미로 독서를 했다. ⑤ 요리를 즐기는 응답자의 비율은 2010년과 2020년 사이에 10퍼센트포인트보다 더 증가했다.

해설

컴퓨터 게임과 독서를 좋아하는 응답자 비율은 2010년부터 2020년까지 둘 다 감소했으므로, 도표의 내용과 일치하지 않는 것은 ③이다.

독해력 PLUS

Q1 3분의 1보다 많은 응답자들이 2010년과 2020년 둘 다 취미로 독서를 했다.

Q2 increased → decreased

구문 풀이

[2행] In 2020, more than 7 out of 10 respondents enjoyed hiking[**, which** was the highest among the five hobbies].

→ [ ]는 앞 문장 전체를 선행사로 가지는 계속적 용법의 관계대명사절로, '그런데 이것(10명 중 7명보다 많은 응답자가 등산을 좋아한 것)은 ~하다'라고 해석한다.

[5행] More than **a third** of the respondents read as a hobby both in 2010 and in 2020.

→ a third는 '3분의 1'을 나타내는 분수 표현이다. 영어에서 분수를 표기할 때 분자는 기수(one, two, three 등)로, 분모는 서수(first, second, third 등)로 나타낸다. 여기서는 기수 one을 쓰는 대신 third 앞에 부정관사 a가 쓰였다.

3

정답 ⑤

해석

메이플 벤드 국립 공원의 동물 개체 수

동물	2010	2015
코요테	65	87
퓨마	38	52
흑곰	25	41
여우	42	34
무스	38	30

위 표는 2010년과 2015년 메이플 벤드 국립 공원에 있는 동물들의 수를 보여 준다. ① 코요테는 2010년에 65마리 그리고 2015년에 87마리로 각 연도에 가장 많은 개체 수가 있었다. ② 2010년에 퓨마의 개체 수는 38마리로 무스의 그것(개체 수)과 같았다. ③ 퓨마와 흑곰 개체 수 간의 차이는 2010년보다 2015년에 더 작았다. ④ 여우와 무스는 2010년부터 2015년까지 개체 수가 감소한 유일한 두 동물이었다. ⑤ 2010년에 흑곰과 무스의 합해진 개체 수는 코요테의 개체 수보다 많았다.

해설

2010년 흑곰과 무스를 합한 개체 수는 63마리이며, 이는 코요테의 개체 수 65마리보다 작으므로, 표의 내용과 일치하지 않는 것은 ⑤이다.

독해력 PLUS

Q1 (1) 38 (2) 11 (3) 63

Q2 more → less

구문 풀이

[2행] In 2010, **the number of pumas** was *the same as* that of moose, at 38.

→ 「the number of + 복수명사」는 '~의 수'라는 의미이다. 항상 단수 취급하므로 뒤에 단수동사 was가 쓰였다.

→ the same as는 '~과 같다'라는 의미로, 뒤에 「주어 + 동사」의 절 또는 명사가 온다.

→ that은 앞에서 언급된 단수명사의 반복을 피하기 위해 사용된 대명사로, 이 문장에서는 앞에 나온 the number를 대신해서 쓰였다.

4

정답 ③

해석

안경을 쓰는 인구의 비율

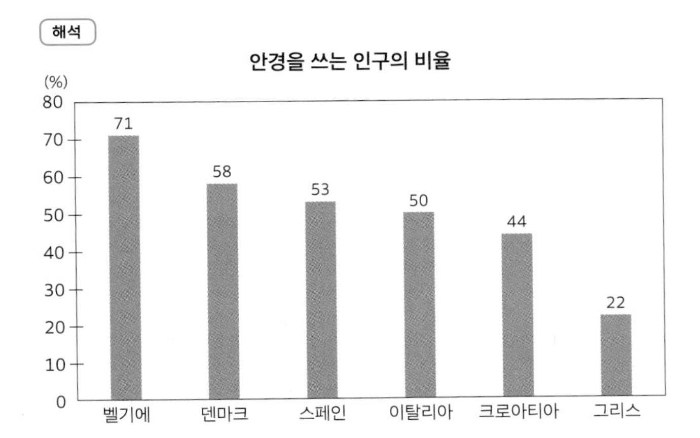

위 그래프는 6개의 유럽 국가들의 안경을 쓰는 인구의 비율을 보여 준다. ① 벨기에는 6개 국가 중에서 가장 높은 비율을 보여 주고, 덴마크가 그 뒤를 잇는다. ② 덴마크에서 안경을 쓰는 사람들의 비율은 스페인의 그것(안경을 쓰는 사람들의 비율)보다 높다. ③ 이탈리아 사람들 절반이 안경을 쓰는데, 이것은 6개 국가들 중 두 번째로 가장 낮은 비율이다. ④ 안경을 쓰는 크로아티아 인구의 비율은 그리스의 그것(안경을 쓰는 인구의 비율)보다 두 배만큼 높다. ⑤ 30퍼센트보다 적은 그리스 사람들이 안경을 쓴다.

해설

이탈리아의 안경을 쓰는 사람들의 비율은 50퍼센트로 절반인 것은 맞지만, 6개 국가 중 두 번째로 가장 낮은 것은 아니므로, 도표의 내용과 일치하지 않는 것은 ③이다.

독해력 PLUS

1 안경 2 쓰는 3 가장 높은 4 그 뒤를 잇는다[따른다]
5 높다 6 절반[반] 7 두 번째 8 인구 9 두 배만큼 높다
10 적은

구문 풀이

[4행] Half of the people in Italy wear glasses, which is **the second lowest** percentage among the six countries.

→ 「the + 서수(first, second, third, …) + 형용사의 최상급」은 '~번째로 가장 …한'이라는 의미이다.

[5행] The percentage of Croatia's population that wears glasses is **twice as high as** that of Greece.

→ 「배수사 + as + 형용사/부사 + as」는 '~보다 ~만큼 …한/하게'라는 의미이다.

독해원리 8 | 문장과 문장 비교하기

본문 p. 92

기출로 확인하기

정답 ③

해석

피아니스트, 작곡가, 그리고 큰 밴드의 리더인 Claude Bolling(클로드 볼링)은 1930년 4월 10일 프랑스 칸에서 태어났지만, 그의 삶의 대부분을 파리에서 보냈다. 그는 어렸을 때 클래식 음악을 공부하기 시작했다. 그는 학교 친구에 의해 재즈 세계를 접하게 되었다. 후에 볼링은 최고의 재즈 음악가들 중 한 명인 Fats Waller(패츠 월러)의 음악에 관심을 가지게 되었다. 볼링은 10대 때 프랑스의 한 아마추어 대회에서 최고 피아노 연주자 상을 수상하며 유명해졌다. 그는 또한 성공적인 영화 음악 작곡가였고, 100편이 넘는 영화의 음악을 작곡했다. 1975년에, 그는 플루트 연주자 Rampal(랑팔)과 협업했고, <플루트와 재즈 트리오를 위한 모음곡>을 발매했는데, 그것으로 가장 잘 알려지게 되었다. 그는 두 아들 David와 Alexandre를 남기고 2020년에 사망했다.

해설

10대 때 프랑스의 한 아마추어 대회에서 최고 피아노 연주자 상을 수상하며 유명해졌다고 했으므로, 글의 내용과 일치하지 않는 것은 ③이다.

독해력 PLUS

Q1 문장: He was introduced to the world of jazz by a schoolmate.

해석: 그는 학교 친구에 의해 재즈 세계를 접하게 되었다.

Q2 문장: Bolling became famous as a teenager by winning the Best Piano Player prize at an amateur contest in France.

해석: 볼링은 10대 때 프랑스의 한 아마추어 대회에서 최고 피아노 연주자 상을 수상하며 유명해졌다.

구문 풀이

[4행] Bolling became famous as a teenager **by winning** the Best Piano Player prize at an amateur contest in France.

→ 「by + v-ing」는 '~하며, ~함으로써'라는 의미로 수단이나 방법을 나타낸다.

[6행] In 1975, he collaborated with flutist Rampal and published *Suite for Flute and Jazz Piano Trio*[**, which** he became most well-known for].

→ [ ]는 앞에 온 *Suite for Flute and Jazz Piano Trio*를 선행사로 가지는 계속적 용법의 관계대명사절이다. 여기서는 '그런데 이것(플루트와 재즈 트리오를 위한 모음곡)은 ~하다'라고 해석한다.

독해원리 8 적용 Practice

본문 p. 94

1 ③ 2 ③ 3 ④ 4 ④

1

정답 ③

해석

책 표지 디자인 대회

Harperian 출판에서 책 표지 디자인 대회를 개최할 예정입니다. 당신의 재능을 공유해주세요!

카테고리: 아동 소설
(말하는 곰과 친구가 되는 한 어린 소녀에 관한 이야기)

마감일: 11월 4일

세부사항:
- 참가자당 한 개의 출품작만 허용됩니다.
- 흑백 디자인은 인정되지 않을 것입니다.
- 수상자들은 12월 16일에 발표될 것입니다.

상금:
- 우승작에 우승 상금 500달러
- 2등에게 100달러 그리고 3등에게 50달러

더 많은 정보 혹은 등록하시려면 www.harperian.com/contest를 방문해주세요.

해설

세부 사항을 보면 참가자당 한 개의 출품작만 허용된다고 했으므로 개인당 두 개의 작품 제출은 불가능하다. 따라서 안내문의 내용과 일치하지 않는 것은 ③이다.

독해력 PLUS

Q1 ① Category ② Deadline ③ Details ④ Details ⑤ Prizes

Q2 문장: Only one entry is allowed per participant.

해석: 참가자당 한 개의 출품작만 허용됩니다.

구문 풀이

[4행] the story of a young girl [who becomes friends with a talking bear]

→ [ ]는 앞에 온 선행사 a young girl을 수식하는 주격 관계대명사절이다.

[8행] Black-and-white designs **will** not **be accepted**.

→ 조동사 뒤에는 동사원형이 오므로, 조동사가 있는 수동태는 「조동사 + be p.p.」가 된다.

2

정답 ③

해석

미국인 자동차 경주 선수 Janet Guthrie(재닛 거스리)는 1938년에 태어났다. 그녀의 가족은 그녀가 세 살 때 플로리다로 이주했다. 17살의 나이에 그녀는 비행 조종사 면허를 얻었다. 1960년에 미시건 대학을 졸업한 후, 거스리는 항공 우주 공학자로 일했다. 그러나 그녀는 취미로 경주용 자동차에 관심을 갖게 되었다. 1972년에 그녀는 프로 선수로서 자동차 경주를 하기로 결심했다. 1970년대 동안 그녀는 데이토나 500과 같은 여러 주요 자동차 경주에 참가한 첫 번째 여성이 되었다. 1980년에 그녀는 여성 스포츠 명예의 전당에 입성했다. 그녀의 자서전이 2005년에 출간되었다.

해설

1972년에 프로 선수로서 자동차 경주를 하기로 결심했다고 했으므로, 글의 내용과 일치하지 않는 것은 ③이다.

독해력 PLUS

Q1 문장: Her family moved to Florida when she was three.

해석: 그녀의 가족은 그녀가 세 살[3세] 때 플로리다로 이주했다.

Q2 문장: In 1972, she decided to race cars as a professional.

해석: 1972년에 그녀는 프로 선수로서 자동차 경주를 하기로 결심했다.

구문 풀이

[1행] **Janet Guthrie, an American race-car driver**, was born in 1938.

→ Janet Guthrie와 an American race-car driver는 콤마로 연결된 동격 관계이다. Janet Guthrie가 미국인 자동차 경주 선수라는 의미이다.

[2행] After [**graduating** from the University of Michigan in 1960], Guthrie worked *as* an aerospace engineer.

→ [ ]는 전치사 after(~후에)의 목적어 역할을 하는 동명사구이다.

→ as는 '~으로서'라는 의미의 전치사이다.

[4행] In 1972, she **decided to race** cars as a professional.

→ 「decide + to-v」는 '~하기로 결정하다, 결심하다'라는 의미이다. decide는 목적어로 to부정사를 쓴다.

3

정답 ④

해석

Madison 민속 음악 페스티벌

민속 음악 애호가 여러분 주목하세요! 제10회 연례 Madison 민속 음악 페스티벌이 곧 다가옵니다. 민속 음악의 거장들을 직접 볼 이 엄청난 기회를 놓치지 마세요!

날짜 & 시간

• 날짜: 9월 2일 토요일

• 시간: 오전 10시 - 오후 6시

가격

• 10달러

• 5세 이하 어린이는 무료

행사

• 기타 강습 • 라이브 공연 • 불꽃놀이 쇼

※ 주차는 예약을 해야만 가능합니다.

※ 비가 올 경우에는, 페스티벌이 9월 9일로 미뤄질 것입니다.

해설

행사 항목을 보면 기타 강습이 페스티벌 활동에 포함되어 있으므로, 안내문의 내용과 일치하는 것은 ④이다.

독해력 PLUS

Q1 문장: Free for kids aged 5 and under

해석: 5세 이하 어린이는 무료

Q2 문장: Parking is available with reservation only.

해석: 주차는 예약을 해야만 가능합니다.

구문 풀이

[3행] Don't miss this incredible opportunity **to see folk music legends in person!**

→ to see 이하는 '민속 음악의 거장들을 직접 볼'이라는 의미로, to부정사의 형용사적 용법으로 쓰여 this incredible opportunity를 수식하고 있다.

4

정답 ④

해석

미국인 화가 Cecilia Beaux(세실리아 보)는 1855년 5월 1일 필라델피아에서 태어났다. 보는 어머니의 죽음 이후 할머니에게 길러졌다. 16세의 나이에, 그녀는 미술을 공부하기 시작했다. 그녀의 첫 그림은 1885년에 전시되었다. 3년 뒤, 보는 그녀의 미술 교육을 계속하기 위해 유럽으로 향했다. 1889년에 유럽에서 돌아온 후에, 그녀는 펜실베이니아 미술 아카데미에서 선생님으로 근무했다. 이후, 그녀는 뉴욕으로 이사했고 그곳에서 많은 유명한 사람들의 초상화를 그렸다. 그녀는 1942년에 사망했고, 현재 그 나라의 가장 위대한 예술가들 중 한 명으로 인정받는다.

해설

뉴욕으로 이사한 뒤에 그곳에서 많은 유명한 사람들의 초상화를 그렸다고 했으므로, 글의 내용과 일치하지 않는 것은 ④이다.

독해력 PLUS

1 화가 2 5월 3 어머니 4 할머니 5 미술
6 그림 7 전시 8 교육 9 향했다[갔다] 10 후[뒤]
11 선생님 12 이사 13 유명한 14 초상화 15 예술가
16 인정받는다

구문 풀이

[2행] At the age of 16, she **began studying** art.

→ began studying은 '공부하기 시작했다'라고 해석한다. begin은 목적어로 to부정사와 동명사 모두 쓸 수 있다.

[3행] Three years later, Beaux headed to Europe **to continue her art education.**

→ to continue 이하는 '그녀의 미술 교육을 계속하기 위해'라는 의미로, [목적]을 나타내는 to부정사의 부사적 용법으로 쓰였다.

Chapter Test

본문 p. 98

1 ④	2 ③	3 ⑤	4 ③
5 ④	6 ④	7 ⑤	8 ③

1

정답 ④

해석

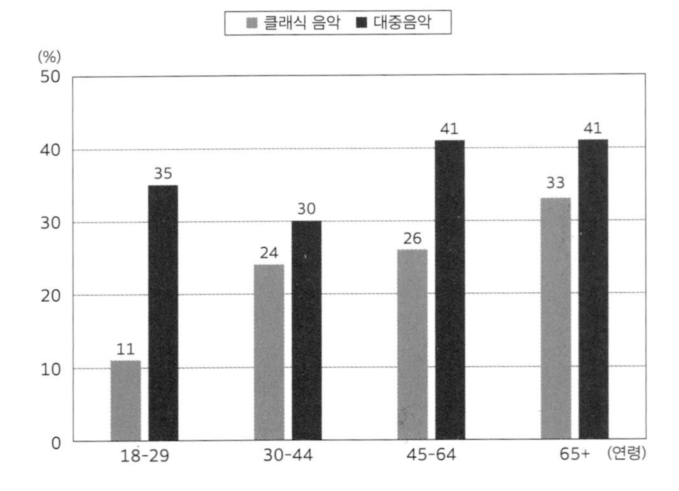

위 그래프는 2022년에 연령대별 미국인들이 선호하는 음악의 종류를 보여 준다. ① 각 연령대에서 대중음악에 대한 선호는 클래식 음악에 대한 그것(선호)보다 높았다. ② 클래식 음악에 대한 가장 낮은 선호는 18-29세 연령대 사람들 사이로, 11퍼센트였다. ③ 30-44세 연령대는 클래식 음악과 대중음악 사이에 가장 작은 선호도 차이를 보였다. ④ 18-29세 연령대는 45-64세 연령대보다 대중음악을 선호했던 사람들의 더 높은 비중을 보였다. ⑤ 65세 이상 연령대 사람들의 대중음악에 대한 선호는 45-64세 연령대의 그것(대중음악에 대한 선호)과 같았다.

해설

18-29세 연령대의 대중음악을 선호하는 사람들의 비율은 35퍼센트이며, 이는 45-64세 연령대의 41퍼센트보다 낮으므로, 도표의 내용과 일치하지 않는 것은 ④이다.

구문 풀이

[5행] The 18-29 age group had a higher percentage of people [who preferred pop music] than the 45-64 age group.

→ [ ]는 앞에 온 선행사 people을 수식하는 주격 관계대명사절이다.

2

정답 ③

해석

건축가 Ludwig Mies van der Rohe(루트비히 미스 판 데어 로에)는 1886년 3월 27일 독일에서 태어났다. 그가 어렸을 때, 그는 뛰어난 석공이던 아버지를 도왔다. 이후, 그는 유명한 디자인 스튜디오에서 일했다. 그의 경력 초기에 그가 설계한 집들은 그를 유럽 전역에서 평판이 좋게 만들었다. 1930년에 그는 바우하우스라고 불리는 한 예술 학교의 운영자가 되었지만, 고작 3년 뒤에 나치당은 그에게 그것을 폐쇄하도록 강요했다. 미스는 미국으로 가서 시카고에 있는 한 건축 학교의 교장이 되었다. 그는 단순하면서도 현대적인 디자인을 계속 만들어냈다. 그의 "적을수록 풍요롭다"라는 스타일은 전 세계의 유명한 건축물들에 표현되어 있다.

해설

1930년에 바우하우스의 운영자가 되었으나 그로부터 3년 뒤에 나치당에 의해 폐쇄되었다고 했으므로, 글의 내용과 일치하지 않는 것은 ③이다.

구문 풀이

[3행] The houses [(which/that) he designed early in his career] made him popular throughout Europe.

→ [ ]는 앞에 온 선행사 The houses를 수식하는 목적격 관계대명사절로, 목적격 관계대명사 which/that이 생략되어 있다.

[5행] ~ but the Nazis **forced him to close** it just three years later.

→ 「force + 목적어 + to-v」는 '~에게 …하도록 강요하다'라는 의미이다.

[6행] He **continued to create** simple and modern designs.

→ continued to create는 '계속 만들어냈다'라고 해석한다. continue는 목적어로 to부정사와 동명사 모두 쓸 수 있다.

3

정답 ⑤

해석

사용자당 월간 모바일 데이터 사용량

(단위: 기가바이트)

국가	2019	2020
핀란드	26	30
오스트리아	19	26
아이슬란드	15	14
스웨덴	9	11
노르웨이	6	9
스위스	8	7

위의 표는 2019년과 2020년 6개 국가에서의 사용자당 월간 모바일 데이터 사용량을 보여 준다. ① 2019년과 2020년 모두 핀란드의 사용자들은 가장 높은 월간 모바일 데이터 사용량을 보였다. ② 6개 국가들 중에서, 오스트리아가 2019년 모바일 데이터 사용량과 2020년의 그것(모바일 데이터 사용량) 간 가장 큰 차이를 보였다. ③ 2019년에, 아이슬란드의 모바일 데이터 사용량은 노르웨이의 그것(모바일 데이터 사용량)의 2배보다 더 많았다. ④ 2020년의 노르웨이의 월간 모바일 데이터 사용량은 2019년 스웨덴의 것과 같았다. ⑤ 스위스는 2019년부터 2020년까지 월간 모바일 데이터 사용량이 감소한 유일한 국가이다.

해설

2019년부터 2020년까지 월간 모바일 데이터 사용량이 감소한 국가는 아이슬란드와 스위스 두 국가이므로, 표의 내용과 일치하지 않는 것은 ⑤이다.

구문 풀이

[5행] Norway's monthly mobile data usage in 2020 was **the same as** Sweden's in 2019.

→ the same as는 '~과 같다'라는 의미로, 뒤에 「주어 + 동사」의 절 또는 명사가 온다.

[6행] Switzerland was the only country [**where** the monthly mobile data usage decreased from 2019 to 2020].

→ [ ]는 앞에 온 선행사 the only country를 수식하는 관계부사절로, 선행사가 장소이면 관계부사 where을 쓴다. 관계부사는 「전치사 + 관계대명사」로 바꿔 쓸 수 있다.

4

정답 ③

해석

담요 기부 행사

집 어딘가에 낡은 담요들을 갖고 계신가요? 그것들을 조지타운 주민센터에 기부하세요! 저희는 추운 겨울달에 대비해 지역 주민들께 그것들을 줄 것입니다.

- **언제:** 4월 16일-20일
- **어디서:** 수거함은 조지타운 주민센터의 야외 주차장에 설치되어 있습니다.
- **어떻게:** 담요를 갠 뒤 수거함 안에 두세요. 그게 다예요!

공지

- 담요는 세탁될 필요가 없습니다. 그것은 저희가 처리할 것입니다.
- 현금 기부도 받습니다.

질문이 있으시면 210-2776으로 저희에게 전화주세요.

해설

'어떻게' 항목을 보면 담요를 개어서 수거함 안에 두라고 했으므로, 안내문의 내용과 일치하는 것은 ③이다.

구문 풀이

[3행] We will **give them to people** in the community for the cold winter months.

→ 「give + 직접목적어 + to + 간접목적어」는 '~에게 …을 주다'라는 의미이다. 일반적으로 「give + 간접목적어 + 직접목적어」로 바꿔 쓸 수 있으나, 여기서처럼 it이나 them이 직접목적어로 쓰이면 바꿔 쓸 수 없다.

[11행] Money donations **will** also **be accepted**.

→ 조동사 뒤에는 동사원형이 오므로 조동사가 있는 수동태는 「조동사 + be p.p.」가 된다.

5

정답 ④

해석

Carl Gustav Hempel(칼 구스타프 헴펠)은 1905년 1월 8일, 독일 베를린 인근에서 태어났다. 헴펠은 베를린 대학에서 철학과 수학을 공부했다. 친구의 조언을 토대로, 그는 유명한 철학자들의 모임에 가입하기 위해 오스트리아로 옮겨 갔다. 그들은 비엔나 학파로 알려져 있었고, 그들은 과학적 사고를 연구하는 것으로 유명했다. 헴펠이 논리적 사고에 관한 영향력 있는 생각들을 만들어 내기 시작한 것은 이 기간 동안이다. 1937년, 2차 세계대전이 시작하기 2년 전에, 그는 미국으로 이주했다. 이후, 그는 과학 이론들을 증명하는 방법에 관한 인기 있는 몇몇 논문들을 발표했다. 오늘날 전 세계의 철학자들과 과학자들은 여전히 헴펠의 책들을 읽는다.

해설

2차 세계대전이 시작되기 2년 전에 미국으로 떠났다고 했으므로, 글의 내용과 일치하지 않는 것은 ④이다.

구문 풀이

[3행] ~ he moved to Austria **to join a group of renowned philosophers.**

→ to join 이하는 '유명한 철학자들의 모임에 가입하기 위해'라는 의미로, [목적]을 나타내는 to부정사의 부사적 용법으로 쓰였다

[3행] They **were known as** the Vienna Circle and they were famous for researching scientific thinking.

→ be known as는 '~으로[이라고] 알려지다'라는 의미의 수동태 표현이다.

[4행] **It was** during this time **[that** Hempel started developing influential ideas about logical thinking**].**

→ 「it is ~ that …」 강조 구문은 '…한 것은 바로 ~이다'라는 의미이다. 강조하고 싶은 말은 it is와 that 사이에 쓰고, 강조되는 말을 제외한 나머지 부분은 that 뒤에 쓴다. 강조하는 대상에 따라 that 대신 who(m)/which/where/when을 쓸 수 있다.

6

정답 ④

해석

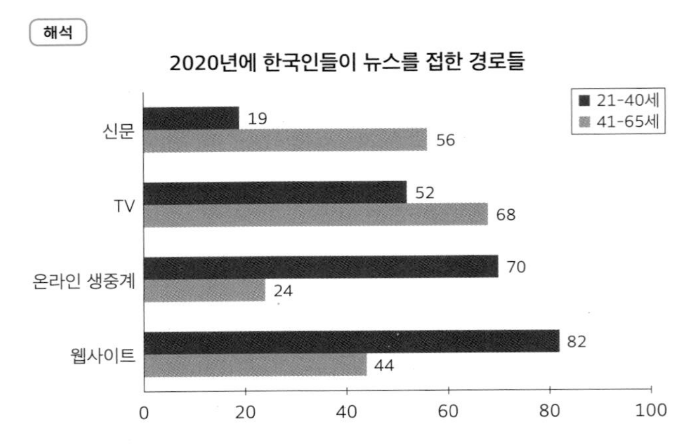

위 그래프는 2020년에 두 연령대의 한국인들이 뉴스를 어디에서 접했는지를 보여 준다. ① 21-40세 연령대의 사람들 중 5분의 1보다 적은 수가 뉴스를 접하기 위해 신문을 이용했다. ② 두 연령대 모두에서, 절반이 넘는 사람들이 TV로부터 뉴스를 접했다. ③ 두 연령대 간의 가장 작은 차이는 TV 항목이었다. ④ 온라인 생중계를 이용한 21-40세 연령대 사람들의 비율은 41-65세 연령대의 그것(온라인 생중계를 이용한 사람들의 비율)의 3배 이상이었다. ⑤ 웹사이트는 21-40세 연령대 사람들에게 가장 인기 있는 뉴스의 출처였다.

해설

온라인 생중계를 이용한 21-40세 연령대 사람들의 비율은 70퍼센트로, 이는 41-65세 연령대의 비율 24퍼센트의 3배인 72퍼센트보다 작으므로, 도표의 내용과 일치하지 않는 것은 ④이다.

구문 풀이

[1행] The above graph shows [**where** Koreans in two age groups got news in 2020].

→ [ ]는 의문사 where가 이끄는 명사절이다. 동사 shows의 목적어 역할을 한다.

[2행] Less than **one-fifth** of the people in the 21-40 age group used newspapers *to get news*.

→ one-fifth는 '5분의 1'을 나타내는 분수 표현이다. 영어에서 분수를 표기할 때 분자는 기수(one, two, three 등)로, 분모는 서수(first, second, third 등)로 나타낸다. 이때, 분자에 2 이상의 숫자가 쓰이면 분모는 복수형으로 쓴다.

→ to get news는 '뉴스를 접하기 위해'라는 의미로, [목적]을 나타내는 to부정사의 부사적 용법으로 쓰였다.

7

정답 ⑤

해석

Claudette Colbert(클로데트 콜베르)는 1903년 9월 13일 프랑스 생망데에서 태어났다. 그녀는 길고 성공적인 경력을 가진 영화 배우였다. 그녀가 3살이었을 때, 그녀의 가족은 뉴욕으로 이주했다. 그녀의 고등학교 선생님은 그녀가 연기를 해보도록 권장했고, 그녀는 15세의 나이에 그녀의 첫 연극에서 연기했다. 졸업 이후, 콜베르는 대학교에서 의상 디자인을 공부했다. 그러나 그녀는 1923년에 브로드웨이 연극의 한 배역을 제안받았고, 배우가 되었다. 1928년에, 콜베르는 한 영화 제작사와 계약했다. 그녀는 많은 영화들의 주연을 맡았고, 3개의 아카데미상을 수상했다. 콜베르는 1951년에 텔레비전으로 옮겼고, 1987년 은퇴하기 전까지 많은 유명한 TV 프로그램들에 출연했다.

해설

1987년에 은퇴했다고 했으므로, 글의 내용과 일치하지 않는 것은 ⑤이다.

구문 풀이

[3행] Her high school teacher **encouraged her to try** acting, and she acted in her first play at the age of 15.

→ 「encourage + 목적어 + to-v」는 '~가 …하도록 권장하다, 용기를 주다'라는 의미이다.

[7행] Colbert decided to move to television in 1951 and appeared in **a number of popular TV programs** until she retired in 1987.

→ 「a number of + 복수명사」는 '많은[다수의] ~'라는 의미이며, 항상 복수 취급한다.

8

정답 ③

해석

자연사 박물관 하룻밤 행사

공룡 뼈 옆에서 잠에서 깨는 것이 얼마나 재미있을지 상상해 보세요. 여러분의 아이들에게 과거의 미스터리를 탐험할 기회를 선사하세요!

일정

- 매주 금요일과 토요일
- 오후 7시에 시작, 오전 9시에 종료

참가비

- 아이 당 30달러 (저녁식사 및 간식 포함)
- 48시간 전까지는 전액 환불

공지

- 각 아이는 칫솔과 손전등을 가져와야 합니다.
- 박물관은 분실물에 대한 책임이 없습니다.
- 사진 촬영은 허용되지 않습니다.

더 많은 정보를 원하시면 129-092-8839로 저희에게 연락주세요.

해설

참가비 항목을 보면, 48시간(이틀) 전까지는 전액 환불해준다고 했으므로 하루 전에는 전액 환불을 받을 수 없다. 따라서 안내문의 내용과 일치하지 않는 것은 ③이다.

구문 풀이

[2행] Imagine [how much fun it would be] to wake up next to dinosaur bones.

→ [ ]는 「how + 부사 + 형용사 + 주어 + 동사」의 의문사가 이끄는 명사절로, 이때 how는 '얼마나'라고 해석한다.

[2행] **Give your kids an opportunity** to explore the mysteries of the past!

→ 「give + 간접목적어 + 직접목적어」는 '~에게 …을 주다'라는 의미이다.

MEMO

MEMO

MEMO

앞서가는 중학생을 위한 수능 첫걸음!

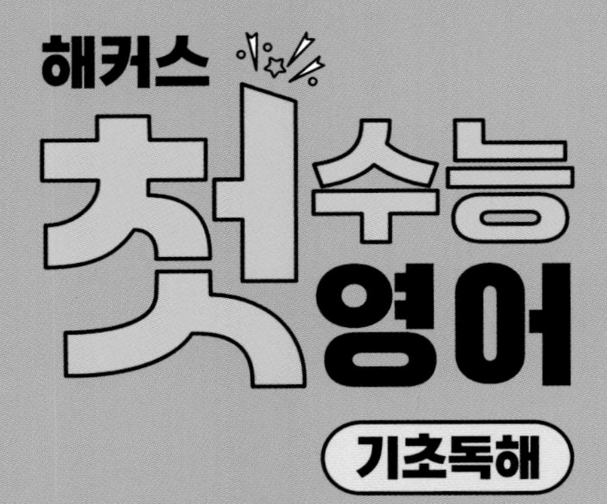

정답 및 해설